KB103333

넌 그렇게 잔향을 남기고

넌 그렇게 잔향을 남기고

발　행 | 2023년 12월 20일
저　자 | 여주동아리
펴낸이 | 한건희
펴낸곳 | 주식회사 부크크
출판사등록 | 2014.07.15.(제2014-16호)
주　소 | 서울특별시 금천구 가산디지털1로 119 SK트윈타워 A동 305호
전　화 | 1670-8316
이메일 | info@bookk.co.kr

ISBN | 979-11-410-6146-3

www.bookk.co.kr

넌 그렇게 잔향을 남기고

여주동아리 지음

CONTENT

작가의 말

이 책은 2023년의 여주동아리가 펼친 책입니다. 다수의 부원의 졸업작이기도 하죠. '기억' 혹은 '유리잔'이라는 주제로 집필한 단편들을 묶었습니다. 이 책이 여러분께서 다양한 문체의 매력을 느낄 수 있는 모음집이었으면 좋겠습니다.

기억은 후각과 연관되어 있다고 하죠. 기억과 유리잔의 복합체인 향수가 이 책의 콘셉트입니다. 각진 유리병에 담긴 분홍색의 향수, 여주동아리의 이미지와 닮아있죠. 이 책의 향은 청춘과 닿아있습니다. 저희의 청춘을 담기도 했고요. 가장 빨리 느껴짐과 동시에 가장 빨리 증발하는 향인 탑노트. 이 책의 탑노트는 '찬란'입니다. 가장 반짝였던 시기인 청춘을 잘 보여주는 향이죠. 여러분의 청춘은 어땠나요? 그리울 만큼 찬란했나요? 그래서 이 책의 미들노트는 '아련'입니다. 청춘을 돌아보면 빛이 났던 그때가 그리워집니다. 누구나 가끔씩 과거의 일들에 대한 향수병이 일곤 하니까요. 향수병이 물러가면 과거의 다시 마주하기 싫은 일들이 떠오르기도 합니다. 아니면 선택에 대한 아쉬움이 들기도 하고요. 그래서 이 책의 베이스 노트는 '후회'입니다. 찬란한 것들을 지나면 후회투성이니까요. 여러분에게 남는 이 책의 잔향은 무엇일까요? 가장 먼저 생각나지만, 가장 먼저 날아가 버리는 '찬란'일까요? 아니면 그 뒤에 따라오는 그리운 '아련'일까요, '아련'이 날아가 버리면 마지막에 남는 '후회'일까요.

여러분은 '후회 이론'에 대해서 알고 계신가요? 후회 이론은 전통적인 기대

효용 이론과는 다릅니다. 기대 효용 이론은 사람이 선택을 함으로써 얻을 수 있는 이득과 손실이 사람의 결정을 좌우한다는 이론입니다. 하지만 후회 이론은 이와 반대로 선택에 대한 이득과 손실이 아닌, 선택하지 않은 대안에 대한 후회의 정도를 고려해 결정하게 된다는 내용입니다. 후회 이론을 통하여 봤을 때, 여러분은 다른 책과 비교해서 이 책을 선택한 것이겠죠. 이 책이 부디 여러분에게 후회라는 감정을 가져다주지 않길 바라겠습니다.

아마도 마지막일 여주동아리의 책입니다. 여주동아리는 2021년부터 활동을 해왔고, 2022년부터 책을 발행하기 시작했습니다. 아직 2023년인데 마지막 책이네요. 동아리 초대 선배분들과 표지를 그려주신 일러스트부의 부원 분들께 감사 인사를 전합니다. 그리고 계속 여주동아리를 담당해주셨던 김민정 선생님께 감사의 말씀을 드립니다. 이 책이 여주동아리 부원들의 청춘에 찬란이 되길 희망합니다. 그리고 이 책의 독자 여러분께도 찬란의 빛이 깃들길.

2023년 11월 여주동아리 부장, 별림 드림.

비 오는 날의 낭만

별림 [박한별]

어릴 때부터 비 내리는 날을 싫어했다. 특별하게 트라우마가 있는 건 아니었고, 싫어할 만한 이유가 넘쳐서 그랬다. 일단 아침에 책가방과 더불어 무거운 우산을 들어야 한다는 점이 싫었다. 어릴 땐 무슨 우산을 들어도 무겁다고만 느꼈던 것 같다. 그렇게 우산을 쓰고 걸어가면 빗방울이 자꾸 묻었다. 친구들은 무슨 고양이도 아니고 비 묻는 걸 싫어하냐고 웃을 테지만, 난 다리에 빗물이 묻는 게 너무 싫었다. 그리고 비가 오면 친구들과 놀 수 없는 것도 싫었다. 위험하니 집에 일찍 오라는 엄마의 당부를 지켜야 했다. 그러니 비가 오면 약속이 취소되는 건 당연한 일이었다. 비는 항상 날 방해했다. 또, 비가 오면 햇빛이 없었다. 하늘이 우중충한 게 싫었다. 괜히 기분이 우울해지고, 반 분위기는 가라앉은 것 같았다. 아침부터 밥맛도 없고, 원래도 듣기 싫은 수업이 더 듣기 싫어지는 건 다 비 때문이었다.

한창 우울한 시기에 비가 오는 건 최악일 거다. 등굣길이 물에 흠뻑 젖었고, 군데군데 웅덩이가 있다면 아침부터 기분을 망칠 거다. 이젠 나이를 좀 먹어서 우산이 무겁진 않지만, 그 대신 책가방이 무겁다. 평소에 무거운 녀석을 이고 다니는 것도 힘든데 우산까지 들면 얼마나 숨이 찰지 안 봐도 비디오다. 작은 머리통에 고민이 가득해서 어지러운데 비까지 오면 그 고민들이 물을 먹어 축축하고 먹먹해질 게 뻔했다. 고민들이 무거워져 더 깊이 가라앉을 걸 생각하니 머리가 아팠다. 제발 비가 오지 않았으면 좋겠다.

***

아침에 일어났는데 전날과는 다르게 공기가 찼다. 여름과 겨울 사이 가을은 실종된 것 같았는데 돌아온 걸까-하고 창문 쪽으로 고개를 돌렸다. 가을이 비로 찾아왔던 거였다. 유리창에 나뭇잎들이 들러붙었다 떨어지길 반복했다. 툭툭 유리창에 부딪히는 빗방울에 열을 받았다. 시비를 거는 것만 같았다. 아침부터 기분을 말아먹었다.

서늘한 욕실에 들어가 수도꼭지를 올렸다. 차가운 물이 손 위로 쏟아졌다. 욕실에서 맞는 물과 길 가다 맞는 빗물은 엄연히 다르다. 세숫물은 필요에 의해 들이는 손님이라면, 빗방울은 낯선 침입자에 가깝다.

그래서 같은 물이라도 빗방울은 반갑지 않다. 누구나 예상하지 못한 순간에 누군가 방심한 자신을 찾아오면 달갑지 않을 거다.

갑자기 추워진 날씨에 비 탓을 하며 옷을 입었다. 비가 얼른 그치길 바랐다. 전날에 앞머리를 잘랐는데 기분이 좋지 않았다. 분명 학교에 도착하면 열심히 고데기를 한 수고가 물거품이 될 게 뻔했다. 이건 뭐 인어공주도 아니고.

“다녀오겠습니다.”

불특정 다수에게 말을 남긴 채 집을 나섰다. 화장대 앞에 있는 엄마가 들었던, 잘 준비를 하는 우리 집 고양이가 들었던 형식상의 인사를 남겼다. 기분이 좋지 않았다. 내 손에 들린 남색 우산이 보기 싫었다. 비는 왜 오는 걸까.

**

“한쮜!”

멀리서 최은별이 나를 발견하고 달려왔다. 반투명한 하얀색 우산을 들고 허겁지겁 나를 향해 오는 모습을 보니 옅은 웃음이 나왔다.

"오늘은 좀 늦게 왔네?"

습기 때문에 앞머리가 축 처진 최은별은 한 마리 해달 같았다. 조개를 들고 있는 것 마냥 우산을 두 손으로 꼭 쥐고 내게 말을 걸어왔다.

"어, 오늘 망할 비가 와서 걸음을 재촉할 수가 없었어."
"지운이랑 같이 등교하는 거 오랜만인 것 같은데?"

최은별은 내가 늦게 온 이유 따위 무시했다. 그냥 나랑 같이 등교를 한다는 사실이 기쁘다고 했다. 해맑은 애를 보고 있자니 기분이 좀 나아지는 듯했다.

"지운이 오늘 기분 안 좋은 일 있어? 표정이 별로 안 좋아서."

최은별은 해맑은 거랑 안 어울리게 눈치가 빨랐다. 언제나 내 기분을 나보다 먼저 알아차리곤 했다.

"아니야. 그냥 비가 와서 그래."

표정을 지우고 다시 그렸다. 다른 사람을 대할 때 내 기분이 태도가 되어서는 안 된다는 걸 알기에 그랬다. 그리고 이렇게 날 생각해주는 친구에게 부정적인 감정을 퍼트리는 건 몹쓸 짓이었다.

**

그날따라 조회 시간에 유독 자습을 하기 싫었다. 다들 학원 숙제를 하는 분위기였는데, 그날은 학원이 쉬는 날이라서 나는 숙제가 없었다. 미리 숙제를 하는 것도 좋았겠지만, 기분이 완전 아니었다. 최은별한테 말이라도 걸까 싶어서 포스트잇을 만지작거렸다. 최은별 쪽으로 고개를 돌렸다. …공부쟁이 아니랄까 봐. 문제집에 집중하고 있는 모습에 말을 걸지 못했다. 그냥 주변 애들이랑 어제 나온 드라마 얘기나 했다.

기분이 영 안 좋은데 인문 계열 수업만 계속되니 기분 전환이 될 요소가 아무것도 없었다. 나중에 예체능을 할 건 아니지만, 나는 예체능 과목을 더 좋아했다. 갑자기 그림을 그리고 싶어져서 수학 교과서에 낙서를 끄적였다. 어느새 뒷자리에 있던 최은별이 그걸 발견하곤 킥킥 웃었다.

"너 수업에 집중 안 하냐구."

캬하하 웃는 최은별이 내 얼굴에 낀 구름들에 바람을 불었다. 최은별의 웃음에 괜히 나도 웃음을 지었다.

**

점심시간이 돼서 최은별 옆자리에 앉았다. 최은별이 풀고 있던 문제집을 덮었다. 당황해서 나 때문에 덮지 말라고, 난 그냥 구경하겠다고 했다. 근데 최은별은 문제집을 덮을 핑계가 필요했다면서 놀자고 했다. 말을 예쁘게 하는 애였다. 실상은 자기가 날 놀아주는 거면서.

"비 오는 날이 싫어."

아침부터 계속 비가 그칠 줄 모르고 주륵주륵 오고 있었다. 하늘이 화창하지 않으니 내 얼굴에도 화창한 미소가 찾아들지 않았다. 윤리 수업은 고민만 하다 한 시간을 버려 버렸다. 필기는 제대로 한 것 같은데, 내용이 머리에 들어오지 않았다. 고민들이 일일이 엉켜서 머리가 아팠다.

"왜? 너한테 비 오는 날은 어떤데?"

분명 이야길 꺼내면 길어질 거였다. 명주실만큼은 아니어도 갓 나온 가래떡만큼은 길 거였다. 말을 아끼려고 했는데 잔잔하고 깊은 호수 같은 최은별의 눈동자에 입이 트여버렸다.

"그냥 어릴 때부터 싫어했어. 비가 오면 안 좋은 점이 너무 많아서 감당하기가 힘들거든. 일단 비가 오면 기분이 별로잖아. 기분이 금방 상하는데 돌아오기가 쉽지 않게 우중충하고. 우산이라는 짐이 하나 더 생기고 말이야. 그리고 비가 오면 불편한 게 극대화되는 느낌이야. 길이 물에 젖어서 눅눅하고, 교실은 물에 잠긴 것 같이 습하고. 괜히 예민해져서 작은 장난에도 화를 낼 것 같아. 내 기분에 가시가 돋친 기분. 뭐…, 그래서 비 오는 게 싫어. 습해서 꼭… 숨이, 먹먹해질 것 같아.”

말을 하는 게 아니었다. 친구 앞에서 창피하게 울어버리다니. 그것도 혼자 주절거리다가. 최악이었다. 눈물이 멈추질 않았다. 내 마음이 잔잔하고 깊은 호수였다면, 그 호수에 최은별이 돌을 던져준 거였다. 물결 하나 없이 가만히 있던 호수를 일렁이게. 호수는 깊어서 물이 차고, 안으로 들어가면 캄캄해서 아무것도 보이지 않았을 거다. 근데 어떤 돌이 하나 그 호수에 들어온 거다. 작은 돌 하나에 큰 호수가 동요했다.

“나도 비 오는 거 별로 안 좋아해. 근데 비 오는 게 가끔, 아주 가끔 낭만적일 때가 있어. 그럴 땐 좋더라고.”

최은별만의 위로였을 거다. 최은별은 비 오는 창밖을 바라보면서 말했다. 나를 돌아보지 않았다. 그냥 차분하게 자기 얘길 계속했다.

**

정신없이 수업을 듣고 종례 시간에 와있었다. 아마 하루를 다 버려버린 듯싶었다. 멍하니 서 있다가 반장의 '인사' 소리에 허리를 굽혔다. 곧이어 자기 핸드폰과 더불어 내 핸드폰까지 가져온 최은별이 시야에 들어왔다. 같이 하교하자는 게 이유였다. 아까 울었던 게 마음이 쓰여서 그런 것 같아서 괜찮다고 했는데, 거절의 거절이 돌아왔다. 이번에도 '놀자'라는 말이 따라붙었다.

그래서 결국 같이 하교를 했다. 각자 제 몫의 우산을 들고 저벅저벅 걸었다. 비는 하루 종일 그칠 기미를 보이질 않았다. 괘씸했다. 그칠 때가 된 것 같은데 욕심쟁이처럼 계속 내리다니. 또 기분이 안 좋아졌다.

"한쮜, 나랑 안 놀아줄 거야?"

뒤에서 걷던 최은별이 자기 우산을 접고 내 우산으로 들어왔다. 아마 내가 아무 말도 없이 앞만 보고 걸어서 그랬을 거다.

"아, 아. 미안."

또 표정을 지우고 다시 그렸다. 다 괜찮아진 척 옅은 미소를 지었다. 하지만 금세 당황스러운 표정으로 바뀌었다. 최은별이 내 우산을 뺏어

가서였다. 내가 얼타고 있는 동안, 최은별은 내 우산을 접어버렸다. 비가 내리는 길 한복판에서.

"야, 야! 너 뭐해!"
"지운이 너 비 안 맞아봤지? 흠뻑 맞아보면 좀 낭만적일걸."

최은별은 내 손을 잡고 뛰기 시작했다. 계속 낭만적이다, 뭐라 이야길 하는 데 빗소리 때문에 잘 들리지 않았다.

최은별을 따라 뛰다 보니 공원에 다다랐다. 아무 벤치에 가방을 대충 던져놓고 비에 젖은 나를 직면했다. 비를 맞는다는 건 나를 후련하게 만들었다. 빗물이 묻어도 더는 짜증 나지 않았고, 습한 공기 따위 신경 쓰이지 않았다. 무엇보다도 복잡한 고민들에게서 벗어나 일탈을 한 모양새였다. 내 얼굴에 구름들이 완전히 걷혔다. 차오르는 알 수 없는 감정들에 웃음이 났다. 내 위로 떨어지는 빗줄기를 가만히 받아드리다 옆으로 고개를 돌렸다. 최은별은 우중충한 하늘과 별개로 화창한 표정을 하고 있었다.

"어때? 너무 좋지 않아?"

최은별은 행복해 보였다. 해방감에 찬 표정을 짓고 빗줄기를 환영했다. 최은별은 나를 위로해주기 위해서 낭만적인 후련함 속으로 나와 같이 뛰어들었다. 그 날 우리는 비가 아닌 낭만을 맞았다.

***

그 뒤로 지독한 감기를 앓았다. 추워지는 간절기에 비를 맞아서 그랬다. 엄마의 걱정과 잔소리를 한 아름 받았지만 괜찮았다. 그저 행복감에 차 있었다. 물론 최은별을 보지 못해서 아쉽긴 했다. 얼른 회포를 풀고 싶었다. 최은별이 나에게 있어 비라는 존재를 어떻게 변화시켰는지에 관해. 최은별은 분명 공부해야 한다고 약을 먹고 꾸역꾸역 학교를 나갔을 게 뻔했다. 근데 그게 최은별답다고 생각했다. 일탈을 했으면 일상으로 돌아가야지. 일탈이라는 기억으로 일상을 살아가는 거니까.

비가 오는 날이 싫지 않아졌다. 누구 덕분에 꽤나 낭만적이게 됐다.
유리창에 빗방울이 투둑 부딪히면 괜히 멍하니 바라본다. 빗줄기에
뛰어들었던 그 날의 기억을 상기하는 거다. 졸업했어도 비가 오는
날이면 걔가 생각나는 건 어쩔 수가 없다. 걘 지금쯤 뭐하려나.

비가 오면 걔가 나를 끌고 빗속으로 뛰어든 그 날로 돌아가게 된다. 우린 우산 없이 비 오는 거리를 내달렸다. 비를 맞아서 손은 시렸고, 옷은 흠뻑 젖어있었다. 근데 그게 걔가 말하던 낭만이었다.

기억되기 위한 기록

담월 [김담희]

인간은 살면서 어떠한 일이 닥쳐올지 아무도 모른다. 그래서 항상 반복되는 하루를 소중히 하고, 중요시해야 한다.

이것은 나의 마지막을 위한, 내 소중한 사람들에게 기억되기 위한 기록이다.

***

#1_6월의 기록

[앨범 : 즐겨 찾는 항목]

[2021년 6월 19일]

[오전 9:53]

.

.

.

안녕, 나 오늘은 정말 하고 싶은 얘기가 많아. 내가 어제…. 아, 맞다. 오늘은 2021년 6월 19일, 날씨는 맑아. 밖에 나가고 싶을 정도야.

본론으로 가자. 어제 내가 꼭 쳐보고 싶었던 악기인 기타를 쳤어. 어제 바다네 집에 놀러 갔는데 기타가 있더라. 가까이서 보니까 엄청 예뻤어. 그런데 크기가 내 몸만 하더라.

바다는 기타를 엄청나게 잘 쳐. 3년 가까이 연습해 온 자세 때문인지 멋있어 보였어. 기타에 대해서 아무것도 모르는 나도 바다는 기타 치는데 흠잡을 것 없이 정말 잘 치는 것 같아. 지금 생각하니 한 악기를 열심히 해나가는 것은 정말 대단한 것 같네.

아, 맞다. 바다가,

"내가 발가락으로 쳐도 너보다는 잘 치는데."

라면서 나를 놀리더라고. 내가 기타를 정말 못 치긴 하지만, 발가락은 정말 아니다. 그렇지? 나도 바다랑 어느 정도 붙을 수 있는 연주 실력이라고.

그래도 내가 기타를 하도 못 치니까 나는 노래를 부르고 바다는 기타를 쳤는데 마치 한강으로 소풍을 간 것 같았어. 아, 나중에 바다랑 한강이나 갈까? 생각만 해도 너무 좋다.

이렇게 보니 아직 못 해본 게 많네. 계속 더 생겨날 것 같고.

세상에는 할 게 너무 많은데 기회가 없다는 것이 너무 슬픈 것 같아. 그래도 최대한 많이 즐길 수 있도록 노력해야겠어.

바다랑 한강 갈 날짜부터 정해볼까? 주말에는 사람이 많을 것 같고. 아무래도 평일이 좋을 것 같다. 더 자세한 건 바다랑 얘기해 봐야겠어.

어, 엄마가 밥 먹으라고 하네. 가볼게, 다음에 봐!

[앨범 : 즐겨 찾는 항목]

[2021년 6월 24일]

[오후 2:33]

.

.

.

안녕, 오늘은 2021년 6월 24일이고, 소나기인가?

…

나, 새로운 취미가 생겼어. 그림 그리는 건데, 시간 가는 줄도 모르고 어제 하루 종일 그림만 그렸어. 내가 그린 그림을 액자에 넣고 벽에 걸고 싶어서 이것저것 그려봤는데 그림에 소질이 없어서 다 별로더라. 그래도 이왕 시작한 거, 제대로 그려야지.

오늘 아침에도 심심해서 그림을 그렸는데, 어제보다 훨씬 잘 그린 거 같아. 이렇게 하루하루 그림을 그리다 보면 실력이 빨리 늘지 않을까?

아, 참. 내가 그린 그림들 보여줄게. 내가 어디에 뒀더라….

이것 봐! 이건 어제 그린 그림인데 오른쪽에는 보라색 토끼를 그렸어. 내가 토끼를 좋아하잖아. 그리고 왼쪽에 있는 엄청 커다란 건 딸기 케이크야. 내가 어제 딸기 케이크를 먹으면서 그림을 그렸었거든. 어제 먹던 케이크를 그대로 따라 그린 거야. 음. 꽤 비슷한 거 같다고 생각해.

이건 오늘 그린 그림이야. 내 옆모습을 그려봤어. 눈은 감고 있고 입은 벌리고 있는데 마치 누군가와 대화하고 있는 것 같지 않아? 느껴졌다면 내 의도가 잘 전달된 거야.

앞으로 계속 그림 그려야지!

오늘은 여기까지 할게. 다음에 봐.

***

#2_7월의 기록

[앨범 : 즐겨 찾는 항목]

[2021년 7월 4일]

[오전 1:04]

.

.

.

안녕. 오늘은 2021년 7월… 4일이네?

내 얼굴 잘 보이나? 어두워서 잘 안 보이네.

기다려 봐. 조명 켜고 올게

…

이제 잘 보이네.

지금은 오전 1시야. 그래서 이렇게 조용히 말하는 거고. 우리 엄마랑 아빠는 다 자고 있을 시간이지.

원래라면 나도 지금쯤 자고 있을 거야. 근데 내가 낮잠을 자버리는 바람에 지금까지도 눈을 못 붙이고 있어. 너무 심심한 나머지 동영상을 찍게 됐네.

…

있잖아, 점점 더 심해지고 있대. 정말 얼마 안 남았다고….

처음으로 이런 영상을 찍게 된 게 언제였더라. 그때는 밝게 인사하면서 시작도 못 하고, 얼버무리면서 조곤조곤 말했었는데.

지금 생각하면 다 추억이네. 시간이 정말 빠르게 흘러가는 게 느껴지고….

가끔씩 과거로 돌아가고 싶다는 생각이 든다? 그날에 있던 일들을 다시 한번 느껴보고 싶기도 하고, 지금보다 더 많은 하루를 보낼 수 있잖아.

그런 면에서 보면 정말 과거로 돌아가고 싶다. 해보고 싶은 것도 많고 말이야.

…

너무 이야기가 진지해진 것 같네.

내일 엄마랑 아빠랑 밖에서 외식하기로 했어. 너무 좋지? 아, 내일이 아니라 오늘인가. 뭐, 아무튼!

이제 늦었으니 잘게. 다음에 봐. 안녕.

***

#3_마지막 기록

[앨범 : 즐겨 찾는 항목]

[2021년 7월 13일]

[오후 3:20]

.

.

.

안녕, 오늘은 2021년 7월 13일이네.

조금 낯선 배경이지? 여긴 병원이야. 내 방에서 찍고 싶었는데 어쩔 수 없었어. 그렇지만 이렇게 새로운 공간에서 찍는 것도 나쁘지 않은 것 같아.

…

있잖아, 내가 암이라는 것을 알게 됐을 때 처음에는 정말 무섭고 앞이 캄캄했다? 그런데 이렇게 계속 아무것도 안 하고 무기력하게 남은 시간을 써도 되는지 의문이 들었어.

그때부터였던 것 같아. 이런 영상을 남기게 된 게.

…

내가 전에 그렸던 내 옆모습 그림, 기억나? 눈을 감고 누군가와 대화하고 있는 그림. 사람은 누군가와 대화할 때 서로의 눈을 보고 대화한다고 해. 하지만 그 그림에서는 내가 눈을 감고 있었지.

이제 내 눈을 보면서 나와 대화할 수는 없겠지만, 내 목소리를 들을 수는 있을 거야. 내가 항상 옆에서 말을 걸어 줄 테니까.

"하나야, 너는 모두에게 소중한 존재야."

"하나야, 너는 하나밖에 없는 소중한 딸이야."

친구에게서나 가족에게서나 나는, '소중함'으로 기억되고 싶어. 그리고 '나'에게서도.

바다야, 끝까지 내 손을 붙잡고 나랑 함께 해줘서 정말 고마워.

엄마, 아빠. 좋은 딸이 되지 못해서 정말 죄송해요. 그리고 사랑해요.

내 마지막 기록을 남길 수 있어서 다행이네.

오늘은 여기까지 할게. 또 만나자. 꼭.

***

#4_그날의 기록

[앨범 : 즐겨 찾는 항목]

[2021년 6월 18일]

[오후 1:45]

.

.

.

아, 안녕! 나는… 바다야.

하나는 지금 밖에 있어. 조금 있다가 우리 집으로 다시 오는데, 하나가 핸드폰을 두고 갔더라고.

남하나, 보고 있냐? 네 핸드폰도 안 가지고 가고 말이야. 그러니까 물건을 그렇게 자주 잃어버리지. 저번에는 내가 만들어 준 팔찌도 잃어버렸으면서.

아, 그리고 ㅋㅋㅋㅋ 너 기타 너무 못 쳐. 계속 알려줘도 계속 까먹어.

다음에는 내가 피아노 치는 법 알려줄게. 피아노가 더 쉬워. 내가 피아노는 초등학교 2학년 때 시작해서 지금까지도 하고 있잖아. 피아노 하나는 내가 제대로 가르쳐 줄게.

…

남하나, 너 말도 없이 사라지면 안 된다? 진짜 갑자기 사라지면… 나 화낼 거야. 용서 안 해.

너, 해보고 싶은 거 많다고 했지. 내가 시간 내서 같이 해줄게. 너 해보고 싶은 거 최대한 다 할 수 있게 해준다고. 그러니까 나랑 그것들 다 할 때까지 계속 내 옆에 있어. 어디 가지 말고.

놀이공원도 가보고 싶다며. 나랑 같이 가자. 가서 늦게까지… 마침 너한테서 전화 왔네.

야, 핸드폰을 놓고 가면 어떡하냐.

…

그러니까. 내가 얼마나 속상했는데. 됐고 빨리 와. 너 기타 더 치고 싶다며. 조금 하고 다른 것도 해야지.

…

무슨 소리래? 아직 하나도 모르면서 어떻게 나랑 실력이 비등비등하다는 거야. 내가 발가락으로 쳐도 너보다는 잘 치는데.

…

ㅋㅋㅋ 아 시끄러워. 빨리 오기나 해. 나 너무 심심해.

…

응. 오다가 넘어지지나 말고. 끊어.

남하나 진짜 바보네. 이 영상 꼭 봐라.

안녕, 사랑해!

유리잔 속 희(曦)와 영(暎)

노스텔 [김주예]

나는 지금 일본에 와있다. 여권도 없는 12살 초딩인 내가, 부모님 허락도 없이 무려 해외에 있다고! 비록 산속이라 우리나라와 별 차이는 없어 보이지만, 조금만 내려가면 마을과 도시가 나온다니, 벌써부터 구경할 생각에 설레었다.

"이름이… 박 희랬나?"
"응! 너는 뭔데?"
"…박 영."

나는 하늘을 바라보던 채로 고개만 돌려 다시 통성명을 했다. 연두색 원피스를 입은 장발의 여자아이, 그것도 나와 똑 닮은 아이가 의심스러운 눈초리로 날 빤히 쳐다보고 있었다. 무서워라.

"와! 우리 똑같은 박 씨네? 너 그 본… 그거 뭐라 그러더라?"
"본관."

"맞아! 그거 뭐야? 난…."
"아니 지금 그게 중요해?"

깜짝이야. 난 갑자기 소리를 지르는 내 또래의 여자아이, 영이를 바라보았다. 이번엔 몸까지 돌려서.

"너 정체가 뭐야?"
"사람인데…?"

아차, 친구들이랑 장난할 때 쓰던 말장난이 나도 모르게 튀어나왔다. 나는 오른손 끝으로 입을 툭 치고 영이에게로 다가갔다. 왼손엔 둥근 역삼각형 모양의 유리잔을 꼭 쥔 채로.

"너 대체 어디서 나타난 건데??"
"몰?루. 아 아니, 진짜 몰라."
"하, 네가 모르면 누가 아니?"

아니 진짜 모르는 걸 어떡해. 물론 영이 입장에선 내가 갑자기 허공에서 뿅 하고 생겨난 거겠지만.

사건의 전말은 이렇다. 레트로 풍의 분위기 있는 인스타 감성 카페… 아니 감성 찻집-엄마가 이렇게 부르라고 하셨다.-을 운영하는 엄마 밑에서 자란 나는, 요즘 이상한 취미가 생겼다. 우선 찻집에서 예쁜 유리잔을 몰래 쌔벼온 뒤, 카페 겸 집 뒤쪽에 있는 산에 조금 오른다. 그리고 유리잔에 물이나 음료수를 담아서 햇빛에 반사되는 빛을 찍는 거다. 의미 없는 짓을 왜 하냐고? 예쁘니까! 그리고 오늘도 평소처럼 그런 의미 없는 짓을 하고 있었는데, 갑자기 시야가 어지러워지더니 넘어졌다. 몸을 일으키고 보니 산의 지형과 하늘의 색이 조금 달라져 있었고, 내 앞엔 웬 여자애가 있었던 것이다.

그런데 자세히 보니… 얼굴이 나랑 무척이나 비슷했다. 분위기나 스타일은 조금 달랐지만. 나처럼 예쁜 얼굴이 세상에 또 있었다니… 아니 이게 아니지.

어찌됐건 나는 상황파악을 하기 위해 영이에게 이것저것 꼬치꼬치 캐물었고, 영이는 탐탁잖은 얼굴이었지만 대답만큼은 잘 해주었다.

그렇게 많은 것들을 알게 되었다. 먼저, 영이도 나도 박씨라는 것. 그리고 우리 둘다 엄마가 찻집을 운영하시며, 나도 영이도 아빠가 안계신다. 영이도 나랑 유사한 쓸데없는 행동-유리잔 째벼서 햇빛 비추고 놀기-을 자주 했었고, 나는 저녁 6시, 영이는 아침 6시에 동시에 같은 행동을 했던 것이다. 판타지 웹툰 같아!

"나랑 같은 생각을 하는 사람이 또 있었어! 웹툰 마냥 우리가 동시에 유리잔에 햇빛을 비춰서 내가 이리로 순간 이동한 게 아닐..."
"달빛."
"엉?"
"햇빛 반사되면 눈부셔. 난 새벽달 비추고 있었어."
"아하…."

그렇다고 한다…. 그것도 낭만 있어!

어찌됐든, 무엇보다 가장 놀라웠던 것은 이곳이 일본이라는 거였다. 제주도도 못 가본 나에게, 내가 바다 건너에 있다는 사실은 심장을 뛰게 만들기 충분했다. 산에 걸쳐있는 마을이면… 시골이려나? 뭐, 아무렴 어때.

"여기가 정확히 일본 어디라고 그랬지?"
"일본 제국 도도부현 동경."
"오- 어딘지 모르겠…, 엉?"

'일본제국이요…?'

"너 혹시 막 매국노…? 뭐 그런 거야?"
"헛소리 마라, 갑자기."

그 순간 머릿속에 미친 생각이 희번뜩 떠올랐다. 내가 사실 순간이동만 한 게 아니라 시간 여행도 같이 한 거라면...?

"혹시 막 대한제국…, 뭐 그런…."
"뭐?"
"지금 우리나라 이름이 뭐야?"

와씨, 머릿속으로만 생각할 땐 그럴듯했는데 입밖으로 뱉고나니 갑자기 쪽팔렸다. 말하지 말 걸 그랬….

"갑자기 그건 왜 물어? …대한제국."

????? 이왜진????

"너 설마 나 일본에서 산다고 나라 팔아먹는 사람 취급하는 거야? 진짜 웃긴다. 나한테 우리나라는 대한제국뿐이야. 지금은 비록 돈 때문에 엄마 따라 동경에 왔지만, 크면 꼭 우리나라를 되찾을 거다. 그러니까 매국노니 뭐니 그딴 말 하지 마."

"아니 그게 아니라, 그냥 농담…, 아니 영아 잠깐만!!"

오해한 영이를 달래주러 따라가면서도 어안이 벙벙했다. 진짜 개꿀잼 몰카인가...?

***

엉망진창이었던 첫인상과 달리 우리는 금방 친해졌다. 환경도 외모도 비슷해서인지 생각보다 잘 맞았던 것이었다. 그리고 그래서인지 이 기묘한 현상에 대해서도 금방 알아볼 수 있었다.

먼저, 이건 두 명이 동시에 유리잔 속 물에 천체를 비춰야 발생하는 현상이다. 그리고 공간을 이동하는 건 햇빛을 비추는 쪽. 원래 시간대로 돌아가려면 달빛에 물을 비추면 되고. 아 근데 두 명이 같은 세계에서 동시에 햇빛을 비추면 자기 세계에 있는 쪽이 이동하더라. 이 때 서로 시간대 바뀌어서 개당황했었는데.

둘이 동시에 비춰야 가능하고, 궁금해서 유리잔도 바꿔봤는데 아무 유리잔으로 해도 이동이 가능 했다.

그렇게 점점 시간대와 공간을 이동하는 것에 익숙해진 우리는 자유자재로 이 현상을 활용하며 놀러다녔다. 가끔은 쌍둥이인 척도 하며, 서로의 옷을 빌려입고. 서로가 신기해했다. 나는 과거의 외국을 보고있고, 영이는 미래의 우리나라를 보고 있으니.

저녁 8시, 나는 찻집 옥상에 돗자리를 깐 채로 영이와 누워 대화했다. 3층짜리 찻집에, 평일 마감 시간이라 손님은 없었고, 내가 마스크와 후드를 빌려준 덕에 엄마가 이상함을 눈치채는 일도 없었다. 돗자리 양 끝엔 각자가 가져온 유리잔이 담요에 쌓인 채로 조심스레 놓여져 있었고, 어머니께서 친히 만들어주신 에이드와 핫초코도 돗자리 구석에 자리를 잡고 있었다.

"우리 찻집은 서양차는 죄다 쓴 것들뿐이던데. 이건 달콤해."
"그치? 초콜릿이란 걸 녹여서 만든 건데, 빠지면 답도 없다~"
"그런데 넌 이 밤에 차가운 걸 먹니? 안 추워?"
"여름인데 뭐 어때~ 그리고 자고로 우리 민족은 '얼죽아'의 민족이라고-."

알고지낸지는 한달쯤밖에 안 되었지만, 학교 친구들보다 훨씬 친해진 상태였다. 자연스럽게 대화를 잇던 중, 시간대 이야기가 나왔다.

"아 참 희야, 너가 전에 말했던, 서력 알아왔어."
"오오 진짜? 몇 년인데?"
"서력 1923년 양력 8월 24일."
"오오, 여긴 2023년 8월 24일인데, 딱 100년 차이야!"

이때는 마냥 재밌었다. 끔찍한 재해들이 다가오고 있다는 건 꿈도 꾸지 못한 채로. 나와 영이는 조금씩 빛나는 별빛 아래에서 마냥 재밌는 꿈들을 꾸고 있었다.

***

점심을 먹고 5교시, 사회시간. 요즘 영이와 노는데에 꽂혀 수업따윈 뒷전이었지만, 사회만큼은 재미있었다. 역사를 배우는데, 지금 배우는 부분이 딱 대한제국이거든. 물론 영이는 일본에 살지만, 그래도 시대배경을 조금씩 알게되니 재미있었다. 사회책을 꺼내고 페이지를 펴고 있는데, 선생님께서 책상 위 종을 몇 번 치시더니 말씀하셨다.

"얘들아 오늘은 교과서 필요 없다~"
"와아아-"
"뭔지 알고 좋아해ㅋㅋ 대신 영상 볼 거야."

나는 조금 실망한 채로 교과서를 책상속에 도로 집어넣었다. 사회 재밌는데...

"9월 1일이 다음주지? 올해가 딱 100주기 되는 년이라 보여주는 거야."

100년? 익숙한 키워드에 나는 교실 TV 모니터를 봤다. 그리고 나는 수업시간 내내 벼락을 맞은 기분으로 얼빠져 있을 수밖에 없었다.

***

관동 대학살. 일본에서 대지진이 일어나자, 재난을 틈타 조선인에 반감을 가지고 있던 일본인들이 유언비어를 퍼뜨려 일본에 거주하던 조선인들을 대량 학살한 사건.

위치는 영이가 있는 도쿄 포함. 시기도 100년 전으로 거의 정확하게 일치. 와 진짜...

'이게 무슨 운명의 장난이지…?'

머릿속이 하예진다는 게 이런 느낌이구나. 막막하다는 말 밖에는 표현할 말이 없었다. 막막해서 눈물이 흐른다. 그 시절 한국인이 얼마나 고달팠는지는 알고 있었다. 영이와 함께 시내로 나가 한국어로 대화할 때면 좋지 않은 눈빛을 받았던 것도, 영이의 옷장에 한복이 한 벌밖에 없었던 것도, 알고 있었다.

그래도 같이 노는 게 마냥 재밌었으니까, 내게는 다 끝난 일이고 옛날이야기니까 그런 것 쯤은 무시하려고 했다. 영이에게는 그 일들이 모두 '진행 중'이라는 건 외면한 채.

***

"뭐…?"

쨍그랑- 유리잔이 깨지는 소리가 나며 물방울과 유리 파편이 사방으로 튀었다. 우리가 만난 이후 처음 있는 일이었다. 하지만 유리잔 따위 하나 더 쌔벼오면 되는 것이기에, 나는 지금 당장 중요한 정보들을 말했다.

"9월 1일이 되기 전에, 당장 도망쳐야 해. 멀리, 아니 아예 일본을 떠. 그래야 안전해."
"대체 그게 무슨… 아니, 지진이 났는데 왜 사람을 죽여?"
"아 몰라! 나도 처음에 듣고 뭔 소린가 싶었다…. 어쨌든 내가 더 알아봤는데 진짜 빠져나갈 구멍이 없어…, 미친놈들이야. 광기라고. 살고 싶으면 꼭 도망쳐. 오늘 당장이라도."

나는 영이에게 겁을 주며 말했다. 아니, 겁은 내가 먹었나. 일주일 정도가 남았지만, 이쪽 사정을 모르니 넉넉한 기간인지 알 수가 없었다.

그리고 다음 날, 역시나 충격적인 소식이 들렸다. 백방을 써서 최대한 엄마께 설명드렸지만, 전혀 듣지 않으신다고. 나는 '마음 아프지만 너 혼자만이라도 도망칠 방법을 찾아라.' 라고 말했다. 그리고 싸웠다.

하지만 역시 마음이 전혀 편치 않았다. 내 소중한 친구, 영이가 며칠 뒤면 꼼짝없이 죽을 수도 있는데, 어떻게 멀쩡하겠는가? 그러나 하루 종일 유리잔을 햇빛에도, 달빛에도 비춰보았지만 내가 이동하지도, 영이가 나타나지도 않았다. 걱정은 점점 쌓여만 갔고, 그러던 중 천재적인 아이디어가 떠올랐다. 내 시간대에서 영이가 안전할 방법을 찾을 때까지만이라도 있으면 안 되는 걸까?

그리고 9월 1일까지 3일이 남은 8월 29일, 드디어 내가 이동하게 됐다.

"희야."

날 보며 방긋 웃는 얼굴에 나는 안심하고 영이에게 안겼다. 하지만 여전한 뒷 배경이 보이자 안심은 다시 불안으로 바뀌었다.

“어떡해 영아, 3일밖에…. 아 아니지, 내가 생각이 있는데,”

난 계획을 영이에게 설명했고, 영이는 좋은 생각이라며 기뻐했다. 다행이었다.

“그럼 일단 지금은 내가 이동할 수 있으니까 먼저 할게. 좀 있다 밤에 돌아와.”
“응, 그럼 7시쯤 되면 잔 들어줘.”

나는 깊은 안도감에 한숨을 내쉬며 잔을 들었다. 유리잔과 잔에 담긴 물에 햇빛이 여러 각도로 반사되며 눈부시게 반짝였다.

그리고 그날 밤, 나는 밤새 잔을 들고도 돌아오지 못했다.

***

쨍그랑- 방금까지만 해도 멀쩡히 물을 담고있던 유리잔이 순식간에 깨졌다. 이로써 두 번째다. 영은 가쁜 숨을 헉헉 내쉬며 두 손을 마주 잡아 진정하려 애썼다.

영이 이 세계에서 희와 얼마나 시간을 보내든, 본인의 세계로 돌아가면 1초도 지나지 않은채 떠나기 직전 그대로의 시각이었다. 그걸 알기에 영 또한 시간 걱정 없이 희와 놀 수 있었던 것인데. 결국, 한 세계에 한 명씩 있어야 시간이 제대로 흐른다는 것이었다.

물론 이 정도는 희도 알겠지만, 날 믿기 때문에 이걸 제안한 것이었겠지만. 방법을 찾을 때까지 자기 세계에 있으라니, 이 얼마나 희망적인 말인가. 그런 방법이 있기나 할까. 고작 12살인 이방인 소녀가 그런 학살에 대항할 수 있는 방법이.

그렇다면 뻔하지 않은가? 희의 세계에서 영원히 존재하지 않는 사람으로 살 수는 없으니, 희의 자리를 빼앗는 것이다. 희는 영이 자신과 비슷한 상황이라고 했지만, 그렇지 않았다. 그녀는 경제적인 상황도 훨씬 좋았고, 이방인으로 눈치보며 살 필요도 없이 당당히 '우리나라'를 외칠 수 있었다. 그러니 부러운 게 당연했다.

마침 이런 초자연적인 현상이 일어났는데, 상대 아이가 영과 똑같이 생긴 이유가 무엇이겠는가? 이건 신이 주신 기회이고, 영은 잡아야 했다. 살고 싶었다. 어머니는 아무리 경고해도 헛소리로 치부해버린다. 솔직히, 대체 누가 망국의 백성으로 억울하게 죽고싶겠는가? 영도 살고 싶었다. 제 하나뿐인 친구를 배신해서라도.

아니, 아니었나?

***

"아아악 X발!"

나는 이불을 쾅쾅 치며 조용히 소리쳤다. 영이가 날 배신했다. 나를 버렸다. 급한대로 숨거나 도망갈 곳을 찾아보았지만 무엇하나 확실한 길이 없었다.

"엄마 보고싶어…."

9월 1일까지 하루가 남은 상황. 나는 영이의 엄마가 깨지 않게 조용히 밖으로 나가 봐뒀던 장소에 숨었다. 지진이 났을 때 자연재해의 영향을 많이 받지 않으며, 혼란을 틈 타 도망다니기 쉬운 곳, 마을 외곽 공터였다.

.

.

.

하지만 역시나 3일짜리 계획일 뿐이었던 것일까.

"あの怪しい女捕まえて！(저 수상한 여자 잡아!)"
"X발 뭐라는 거야아아!"

지진이 시작되기도 전에 일본군에게 들킬줄은 몰랐다. 재 총 들었나? 아닌가? 나는 일본어를 못한단 말이야!!

죽기살기로 도망쳤지만 역시나 이악물고 쫓아오는 성인 남자를 따돌리기란 쉽지 않았고, 결국 잡히고 말았다.

"아니 X친 뭐 잡아도 머리채를 잡냐! Stop it! Don't touch me!"
"何言ってるんだ、この朝鮮人が！(뭐라는 거야 이 조센징이!)"

발버둥치면서 가방이 벗겨졌고, 유리잔이 깨지는 소리가 나며 파편이

나뒹굴었다. 그리고 그 때, 진동이 느껴졌다.

'아…, 설마 아침에 시작이야…?'

예상치 못한 진동에 나와 일본군은 넘어졌고, 나는 팔을 뻗어 동그랗게 깨져 물이 고여있는 유리 파편을 쥐었다. 따가운 느낌과 함께 선홍색 액체가 흘렀지만, 신경쓰지 않고 각도를 맞췄다. 무슨 생각이냐면, 나도 모른다. 그냥 그 때처럼, 의미 없는 행동에서 기적이 일어나길 바라는 걸지도.

그리고 그때, 익숙한 목소리가 들려왔다.

"最悪だよ、消えて！(최악이야, 사라져!)"

그리고 마침내, 내 머리를 누르고 있던 손에 힘이 풀리며 몸이 가벼워졌다.

"…박 영."
"희야, 그게…."

영이가 무언가 말하려던 순간, 또다시 진동이 울렸다. 이번엔 좀 더 크고 확실한 진동. 벌써부터 저 멀리선 가로등과 조형물들이 무너지기 시작했다.

"이따 얘기해, 플랜 B다!"

난 멀쩡한 손으로 영이의 손을 잡고 달렸다. 바닥이 흔들려 중심을 잡기 어려웠지만, 죽을 힘을 다해 뛰었다.

***

그리고 도착한 곳은, 난리 속에서도 웅장한, 별과 줄무늬가 그려진 깃발이 사정없이 펄럭이는 건물, 주일 미국 공사관이었다.

“여긴…?”
“잉글리시는 할 수 있어?”
“아니…?”
“그럼 이참에 배워!”

사대주의같아서 마음에 안들지만, 지금 여기서 자연적으로나 사회적으로나 가장 안전한 곳이 여기거든. 그리고 자국민 보호도 당연히 할테니까, 전에 봤던 선교사도….

“아무래도 안되겠어. 역시 너는 지금이라도 빨리 가. 이게 내 운명이라면….”
“어어 저기 온다!”

나는 찾던 사람이 시야에 들어오자 소리쳤다. 여진이 오기 전까지 아주 잠깐의 시간만 남은 상황. 이리저리 치이는 인파 속에서, 금발 벽안에 목에는 십자가를 건 남성이 허둥지둥 뛰어오고 있었다.

겁나 인정하기 싫지만, 돈도 없고 뭣도 없는 이 상황에서 할 수 있는 거라곤 감성팔이 뿐이다.

“Hey sir! Help my sister, please! (저기, 선생님! 제발 제 여동생을 도와주세요!)”

윽, 내가 말했지만 발음 진짜 끝장나게 안좋다. 하지만 무시하고 최대한 불쌍한 척 눈물을 쥐어짜내며 말을 걸었다. 아니 실제로도 불쌍한데.

“You said, god is everywhere. So, please show me mercy. my sister has nowhere to go. (신은 어디에나 있다고 말씀하셨잖아요. 그러니까 제발 자비를 베풀어 주세요. 제 여동생은 갈 데가 없어요.)”

난 손을 모으고 멧돌을 굴리며 내가 할 수 있는 최대한의 영작을 쥐어짜냈다. 아 맞다 나 왼손에서 피나지. 아니 오히려 잘 됐다. 더 불쌍하게 보일테니.

“희야…? 뭐라고 한 거야?”
“너 데려가달라고. 빨리 불쌍한 척 해.”
“Oh….”

다행히 먹히는 듯 했다. 선교사의 눈빛이 흔들리고 있었으니. 그래, 한달만이라도 좋으니까 제발 좀 도와줘라, 응?

“Well…. once, (음…. 일단,)”

그리고 그때, 또다시 진동이 느껴졌다.

이번엔 아까보다 훨씬 더 강하고, 선명한….

.

.

.

“야 희야! 일어나!!”

?? 고개를 들자 눈이 부셨다. 눈을 비비자 시야에 들어온 건 우리 교실 풍경이었다. 뭐지. 겁나 엄청난 꿈을 꾼 거 같은데….

“희야, 1교시부터 자기냐- 퍼뜩 일어나서 174쪽 읽어봐라.”

뭐야 언제 잠든 거지 쪽팔리게. 나는 눈을 비비며 사회책을 펼쳤다.

“외국에서 독립운동을 한 여성 독립운동가….”

—Fin

曦- 햇빛 희
暎- 달빛 영

제비꽃

은가비 [이예슬]

나는 주현이다. 나는 엄마와 단둘이 살고 있다. 아빠는 일찍 돌아가셨고, 외할머니는 시골에서 혼자 지내신다.

오늘은 나에게는 특별한 날이다. 나의 15번째 생일이자 유리잔을 받는 날이니까. 학교에서는 내심 아무 일도 없는 척했다. 그렇지만 사실 마음속으로는 조금 떨렸다. 엄마가 우리 가족은 대대손손 내려오는 두 개의 유리잔이 있다고 했다. 그리고 유리잔에는 비밀이 있다고 한다. 옛날에는 이 유리잔으로 과거와 미래를 볼 수 있었다고 한다. 하지만 언젠가부터 조상들은 과거와 미래를 갈 방법을 까먹고, 심지어는 깨트리며 몇 조각이 없어지기도 했다고 한다. 할머니가 엄마에게 15살 생일에 유리잔을 물려주었듯이 나도 오늘 유리잔을 받게 된다. 엄마는 할머니가 오늘을 위해 내게 써주신 편지를 읽어주며 제비꽃이 그려진 상자를 잘 보관하라고 이야기해주었다.

"…생일 축하하고 유리잔과 상자를 잘 간직해야 한다. 그리고 유리잔의 비밀을 네가 풀 수 있다면 좋겠구나."

나는 엄마의 말을 다 들은 후, 방에 들어와 상자를 열어 유리잔을 살펴보며 곰곰이 생각해 보았다. 한 컵은 초록 글씨로 컵 아래쪽에 'future'라고 쓰여 있었고, 다른 컵은 보라색으로 컵 아래쪽에 'past'라고 쓰여 있었다.

'future는 미래잖아. past는 과거고. 그럼 컵들을 사용해서 미래와 과거를 봤다는 것 같은데.'

나는 컵을 자세히 살펴보았다. 초록 유리잔이 깨져있는 것 빼고는 딱히 눈에 보이는 것은 없었다. 열심히 살피다 피곤했던 나는 바로 잠에 들었다.

다음날 아침, 학교로 향했다. 수업 종이 치자 수업에 집중하려고 노력했지만, 머릿속에는 유리잔 생각뿐이었다. 수업에 집중하지 못했지만 학교가 끝나 버렸다. 집으로 빠르게 뛰어가서는 바로 유리잔을 살펴보았다. 유리잔에는 깨진 자국이 남아 있었다. 하지만 여전히 유리잔은 투명하고 깨끗해 보였다. 그리고 그때 기발한 생각이 났다.

'물을 넣어보면 뭔가 보이지 않을까?'

그러고는 물을 초록 글씨 잔 안에 물을 넣었다. 하지만 아무 일도 생기지 않았다. 나는 포기하고 유리잔에 담긴 물을 마셔보았다. 그 순간 눈이 감기더니 한 장면이 보였다. 그 장면은 내가 보라색 글씨 잔에 물은 따라 마시고 있는 장면이었다. 그때 눈이 떠지더니 매우 놀라며 많은 생각이 들었다. 그러고는 보라색 글씨가 쓰여있는 잔에 물을 따라 마셔보았다. 그러자 나온 장면은 엄청 옛날의 모습이었다. 한 남자가 초록 글씨의 컵에 물을 따라 마시자 깜짝 놀라고 떨어트려 깨져버린 것이다. 눈이 떠졌다. 그리고 컵이 깨진 이유를 알 수 있게 되었다. 우선 나는 유리잔의 비밀을 알아낸 사실을 아무에게도 알리지 않았다. 나는 유리잔을 사용하는 방법을 알게 된 후 유리잔을 만든 사람, 그 사람이 유리잔을 사용해 성공한 모습을 본 나는 점점 욕심이 커졌다. 하지만 나는 그 사실조차 알지 못했다. 매일 매일 더 많은 것을 알기 위해 물을 마시고 또 마셨다. 하지만 점점 두 유리잔은 투명했던 색을 잃고 어두워져 갔다. 그러고는 초록 글씨의 잔에 물을 따라 먹자 눈이 감기며 장면이 보였는데, 점점 유리잔에 의존하며 더 많은 미래와 과거를 알려고 하며 나의 모습이 보였다. 그러자 나는 깨달았다.

'나처럼 유리잔을 사용하는 사람이 있어서 유리잔의 사용법이 비밀이 되었을지도 몰라.'

나는 더 나은 미래를 위해 유리잔을 제비꽃 상자에 잘 넣어두었다.

주마등

까막별 [조유림]

“널 좋아하는 것 같아 나랑 사귀자.”

갑자기 날 부르더니, 날 좋아한다는 말을 건넨 선우라는 친구는, 그냥 학교에서 몇 번 마주치는…, 딱 그 정도 사이였다. 그저 학교에서 좀 많이 날아다니는 날라리? 일진? 그런 사이라 엮일 일이 없어서 거의 아무런 접점이 없는 사이였고, 난 우리가 친구라는 생각조차 하지 못했다. 하지만 이런 생각과 모순되게, 내 대답은 ‘좋아’였다.

머리가 굴러갈 새도 없이, 내 입에선 그런 대답이 나왔다. 거의 불가항력으로 김선우의 고백을 받았지만….

“이건 너무 희망 고문 아닌가…?”

그래도 이미 고백을 받았으니, 차기에도 좀 미안한 마음이 들기도 하고, 사실 어느 행동이든 죄책감이 드는 건 똑같으니…, 기왕이면 김선우가 조금이라도 행복할 것 선택을 하여 나의 죄책감을 덜고 싶었다.

그래도 내 머릿속엔 의문이 남았다.

“저 아이는 날 정말 좋아하는 것일까?”

***

그로부터 적지 않은 시간이 흐르고, 나와 선우는 학교를 마치고 처음으로 같이 놀기로 했다.

여러 가지를 함께했다. 연인들이 많이 가는 코스 중 하나인 영화관부터, 인형뽑기 가게, 그리고 방탈출 카페까지….

원래 연애라는 게 이렇게 지루한 걸까? 내가 좋아하지 않으니, 크게 기대는 안 한 건 맞지만 그래도 이 어색한 기류를 어떻게 해결해야 할지도 모르겠고, 저기에서 내가 좋다고 해맑게 웃고 있는 김선우도 이해가 되지 않았다.

“저기, 김선우. 넌 왜 그렇게 웃고 있는 거야?”

“너 바보야? 당연히 내가 좋아하는 사람이랑 같이 놀고 있는데 행복한 거 아니겠어?”

김선우의 말대로라면, 내가 이 상황에서 웃고 있지 않은 이유는 역시 내가 김선우를 좋아하지 않아서일까?

여러 가지 의문이 내 머릿속에 떠올랐지만, 애써 외면했다. 하지만 내가 하는 행동이 정말로 최선의 선택지였는지에 대한 대답은, 여전히 찾을 수 없었다.
나에게 항상 진심인 것 같이 보이는 김선우는… 내게 있어 너무 큰 짐이었고, 죄책감이었다.

사랑이라는 게, 정확한 정의를 내릴 수 있는 것일까? 누군가는 남을 향한 집착을 자신의 사랑이라고 정의 내릴 수도 있는 거고, 또 다른 누군가는 친근함과 익숙함을 사랑이라고 정의 내릴 수도 있는 것이다.

그렇다면, 김선우의 사랑의 의미는 도대체 어떤 것이기에, 나를 좋아하고 사랑한다고 그렇게 단정 지을 수 있는 것일까? 아직도 내 머릿속은 질문투성이이다.

내가 김선우가 정의 내린 사랑을 알고 싶어 했던 게, 아마 그때부터였을 것이다.

난 그 이후로 학교에서든, 데이트에서든 항상 김선우가 나에게 하는 행동들을 관찰했다. 그저 아무 감정 없이 나의 궁금증을 해결하기 위해서였다.

"뭘 그리 뚫어져라 쳐다봐? 내 얼굴에 뭐 묻었어?"

이윽고 나는 얼굴이 빨개졌다. 내가 김선우의 얼굴을 보고 있었다는 사실이 들켜 창피했던 탓일까? 나는 눈을 피했다. 그러자 김선우는 한 번 피식 웃더니 내 눈을 맞추며 이야기했다.

"꽤나 진지해 보이는데 나한테 궁금한 거 있어? 질문 하면 성심성의껏 답해줄게."

"있잖아…, 혹시 넌 날 왜 좋아하는 거야? 아니, 애초에 우리는 복도에서 만나봤자, 인사도 안 하고 딱히 같은 반이 된 적도 없었고 말이야. 이 상황 자체가 난 잘 이해가 안 돼. 너는 무엇을 기준으로 날 좋아한다고 판단한 거야?"

"하긴 넌 모르는 게 당연하려나? 알고 싶다면 알려줄게. 너무 놀라진 않았으면 좋겠어."

그러곤 자신의 이야기를 시작했다.

"사실 초등학생 때, 너랑 나랑은 같은 아파트에 살았어. 넌 몰랐겠지만…, 나는 그때 그렇게 튀는 사람이 아니었거든. 네가 기억하려나 모르겠는데…, 화랑 아파트에 살았던 그 고양이 기억해? 이름이 호두였나…? 그랬을 거야. 나는 동물을 엄청나게 좋아해서, 호두에게 항상 먹이를 줬었지. 근데, 어느 새부턴가 호두가 나한테 잘 안 오는 거야… 난 당연히 그 이유가 궁금했지, 그래서 무턱대고 호두를 하루 종일 관찰하기로 했어. 하하… 어처구니없게도, 고양이를 괴롭히던 사람이 있더라? 그냥, 동네 아저씨였어. 하지만, 고양이가 사람을 이길 순 없는 거잖아? 그러니까 자동적이게 사람을 무서워할 수밖에 없는 거지. 근데, 그때 네가 나타났어."

'고양이 괴롭히면 나쁜 사람이에요! 더 괴롭히면 동물 학대로 경찰서에 고소할 거에요!'

"어린 나이여서 그런지, 네가 되게 영웅처럼 보이더라. 그 아저씬 당연히 쫄아서 도망쳤고 난 너에게 다가갔어. 그 이후로부터 너랑 같이 호두랑 놀고 밥도 주면서 자연스레 너에게 빠진 것 같아. 사실 초등학생 때 좋아했던 거라, 나는 이걸 사랑이라고 생각하지 않았어. 고작 그래 봤자 중학교 가면 잊힐 거라고 생각했지. 어이없게, 잊히지가 않더라. 이쯤 이야기했으면 기억나려나…? 딱히 별거 없지? 그래도, 내 사랑이 가짜라는 의심은 하지 마!"

"진짜 이미지가 바뀌어서 전혀 못 알아봤어…. 일단, 네가 날 좋아하는 이유는 어느 정도 납득이 가는데…. 그럼 혹시, 너는 사랑이 뭐라고 생각해? 네가 생각하는 사랑의 정의 말이야-."

"음…, 그건 조금 고민해 봐야지 알 것 같은데? 이런 심오한 질문에 대해서 생각해 본 적이 없어서 말이야. 그건 나중에 답해줄게!"

"아하하, 그게 뭐야. 기대할게?"

"그러면, 넌 그렇게 생각하면서 내 고백을 받은 이유는 뭐야?"

"그냥 머릿속에 딱 떠오른 답이 그거였어. 하하…, 조금 과장해서 말하자면, 운명 같은 거지."

이런 거라도 사랑이라고 정의할 수 있다면, 나는 사랑이라고 정의하고 싶었다. 사랑은 자기가 생각하기 나름이니, 난 오늘부터 이걸 사랑으로 정의하기로 했다.

"있잖아, 나 너 좋아하나 봐."

"어라? ㅋㅋ 갑자기? 우리 유정이 금사빠네? 뭐, 나야 좋지만!"

그렇게 얼마의 시간이 지나고, 평소처럼 헤어졌다. 아니, 평소처럼은 아니었지.

"잘 가 선우야."

"응응! 우리 유정이도!"

저 너머에서 손을 흔드는 선우를 보며, 살짝 웃음이 났다. 그리곤 횡단보도를 건너기 시작했다.

***

끼이익이이이이이익- 쾅!

'이게 무슨 소리지?'라며 눈을 떴는데, 파란 하늘이 보였다. 머리에서 무언가가 흐르는 느낌이 들었다.

"이게 뭐지…?"

"헐, 저기 어떡해…. 빨리 119 불러봐요, 아무나!"

난 직감적으로 느꼈다. 내가 방금 본건 주마등이라는걸…. 마치 주마등이 아닌 것 같이 아주 최근의 기억까지도 생생히 기억나지만, 부정할 수 없었다.

아직 제대로 살지도 못했는데, 이대로 죽는 게 아쉬웠다. 그래도 선우 덕분에 연애라도 한번 해봤으니 처녀 귀신은 안 되어 다행이라고 생각했다.

그런데, 갑자기 어디에서 급하게 뛰어오는 소리가 들렸다.

“유정아? 유정아! 제발, 아무나 살려주세요…, 우리 유정이 좀 살려주세요…!”

정말… 정신이 몽롱해져 이게 환상인지 현실인지도 구분이 잘 가지 않았다. 되도록이면, 현실이 아니었으면 좋았을 텐데 말이다.

‘굳이 애인이 다친 모습을 봐서 상처 입을 필요는 없으니까….’

내가 이런 생각을 했던 걸 보면, 난 어지간히도 금사빠인 것 같다. 선우에게 푹 빠진 거다. 아직 제대로 사랑하지도 못했는데 죽는 건 역시 아쉬우려나-.

만약 이게 현실이라면, 이런 죽음도 나쁘진 않을 것 같다. 내가 좋아하는 사람 곁에서 죽는 것만큼 행운인 것도 없을 테니 말이다.

솔직히, 살 수 없다는 건 진작에 알아차렸다. 119도 부를 줄 모르는 머저리들은 누군가가 119를 불러주기를 기다리고 자신이 119를 부르는 것은 피한다. 선우가 부르긴 했겠지만, 이미 너무 늦었다. 어차피 기적이 일어날 일 없으니까.

나는 마지막 힘을 짜내어서 말했다.

“사실 너 안 좋아해. 오히려 싫어해. 날 그렇게 오랫동안 좋아했다니, 소름 끼쳐…! 그러니까, 너도 그만 나 잊….”

나의 손은 바닥으로 떨어졌다. 난 죽었다. 사람은 죽은 이후에도 30초 동안 의식과 귀가 남아 있다고 하는데, 주변이 너무 시끄러웠다. 기왕 간다면, 완벽한 조건에서 가고 싶었다.

‘아주 먼 미래에서 널 기다릴게. 너무 급하게 오진 않았으면 좋겠어. 그러면, 좀 슬플 것 같으니까.’

기억의 안 (黶)

온설 [권지율]

흐릿하다. 무엇 하나 제대로 보이지 않는다. 누군가 나를 부른다. 너무 흐릿한 나머지 얼굴도 보지 못했다. 눈에서 눈물이 흐른다. 도대체 그 사람이 누군지, 내게 어떤 존재였는지 기억나는 것 하나 없지만, 무엇인지 모를 감정이 내 안을 파고들었다.

나에게는 잃어버린 기억에 대한 퍼즐이 있다. 그 퍼즐은 모든 조각이 모여 완성될 때까지 꿈으로 자신의 조각에 관한 힌트를 남긴다. 난 아직 마지막 조각을 찾지 못해 퍼즐의 꿈속에서 벗어나지 못하고 있다. 한마디로 난 마지막 퍼즐 조각에 갇혀 헤어 나오지 못하는 것이다.

그 퍼즐의 꿈속 난 기억조차 나지 않는 사람을 보며 꼭 누군가를 잃은 듯이 슬피 울었다. 퍼즐의 꿈속에서 깨어나면 그 사람의 형체, 목소리 그 무엇도 기억할 수 없었지만, 왠지 그 존재는 기억해야 할 것 같았다.

"오늘도 같은 꿈을 꾸셨나요?"
"네. 매일 깨고 나면 형체도 목소리도 기억나지 않는데 그 꿈속에서 저는 항상 울고 있어요. 마치 누군가를 잃은 사람처럼요. 잊으면 안 될 것 같아서 기억해 내려 애써도 기억이 안 나요."

"그 꿈에 대해 알고 계신 건 없나요?"

"아 하나 있어요. 그 사람이 제 마지막 퍼즐 조각에 존재한다는 것."

3년 전 사고로 잃어버린 기억의 조각을 되찾기 위해 매일 병원을 찾는다. 대부분의 조각을 찾았지만, 아직 마지막 조각은 찾지 못했다. 그렇게 나는 오늘도 별다른 소득 없이 집으로 돌아간다.

얼마의 시간이 흘렀을까. 오늘도 어김없이 똑같은 하루를 보낸다. 매일 같은 질문에 같은 대답, 매일 같은 루틴. 토씨 하나 틀리지 않는 하루들이 말이다. 다만 조금 특별한 게 있다면 꿈이 조금 선명해졌달까? 매일 꾸는 꿈이지만 오늘은 조금 달랐다. 여전히 그 퍼즐의 꿈속 나는 슬피 울고 있었지만, 그 사람은 형태를 알아볼 수 있을 만큼 선명했다.

"오늘도 같은 꿈을 꾸셨나요?"

"네. 근데 오늘은 다른 날들과 조금 달랐어요. 여전히 전 슬피 울고 있었지만, 그 사람의 형체가 보였거든요."

사고 후 3년 4개월 만이다. 그 사람의 형체가 보인 것 그리고 나의 대답이 바뀐 것 말이다. 하지만 며칠째 진전 없이 형태만 보여 또다시 계속 같은 대답을 하게 되었지만 언젠가는 마지막 퍼즐 조각을 찾을 수 있지 않을까 하는 마음에 조금의 희망이라도 품어보고 있다.

또 얼마의 시간이 흘렀다. 매일 같은 꿈이 반복되어 진전이 없으니, 희망을 점차 잃는 듯하다. 그래도 오늘은 좀 희망찬 하루다. 꿈속 그 사람의 얼굴도 목소리도 알게 되었기 때문이다. 다만, 꿈속 나는 아직 슬피 울고 있다. 꽤 오랜 시간이 흘렀지만 왜 내가 울고 있는지에 대한 이유는 찾지 못했다. 또 그 사람이 누군지에 대한 정보도 찾지 못했다. 나날이 그 퍼즐의 꿈은 선명해져 가는데 난 계속해서 조각을 찾지 못했다.

새해가 찾아왔다…. 사실 새해가 밝은지 좀 됐다. 그리고 그 사람이 나오는 꿈을 꾸지 않은 지도 꽤 됐다. 그 사람은 내게 목소리와 얼굴을 비춘 이후부터 자취를 감추었다. 유일한 고민거리가 사라진 나는 요즘 외출을 한다. 뭐 별 건 아니고 그냥 산책이긴 하지만 이 가벼운 외출조차 내겐 즐거움을 안겨준다. 파란 하늘에 떠 있는 하얀 구름, 벌과 나비가 모인 아름다운 꽃밭, 나무 위에 앉아 노래하는 새들까지 근래 나는 세상이 아름답다는 것을 알았다. 이 순간이 너무 행복했던 나는 모든 것이 잠시 멈추길 바랐다. 그 사람이 내 눈앞에 나타나기 전까지.

세상의 아름다운 모습에 잠겨 난 한참을 걸었다. 풍경에 취해 주위를 살피지 않던 나는 결국 누군가와 부딪혔다. 주변을 살피지 않고 무작정 걸어가던 내 탓이었다. 정신을 차리고 일어나 부딪힌 사람의 얼굴을 본 나는 입을 열 수 없었다. 꿈속 그 사람이었다. 나는 사과하고 가는 그 사람을 붙잡았다.

"우리 어디서 만난 적 있어요?"

나는 이 사람의 정체가 알고 싶어 물었다. 그리고 돌아온 답변은 감히 말로 정의할 수 없는 감정을 주었다.

"아까부터 눈치를 채긴 했지만, 그런 질문을 하는 거 보니 아직 나를 기억 못 하고 있나 보네."

그의 씁쓸한 답변을 들은 난 순간 머릿속에서 주마등처럼 많은 추억이 스쳐 지나갔다. 내 기억의 마지막 퍼즐 조각이었다. 모두 행복한 순간들뿐이었던 그 조각 속 주인공은 나 그리고 지금 내 눈앞에 있는 이 사람이었다. 가장 사랑하는 사람, 가장 소중한 사람. 내가 감히 잊어서는 안 되는 그런 사람이었다.

두 눈에서 눈물이 흘렀다. 오랜 시간 매일 꿔온 퍼즐의 꿈속 나처럼 슬피 울었다. 그리고 조용히 그 사람의 따뜻한 온기가 날 안았다. 그동안 꽁꽁 얼어붙은 내 퍼즐은 모든 고민과 걱정과 함께 녹아내렸다. 그제야 나는 편안한 감정을 느낄 수 있었다.

나는 말 없이 그 사람을 안았다. 무슨 감정이라 정의할 수 없었다. 단지 내 마음이 이끄는 대로 행동했을 뿐이다. 나는 여전히 그를 사랑하고 있었다. 그를 기억하지 못한 긴 시간 동안 퍼즐은 내가 그를 잊지 못하도록 매일 같은 꿈을 꿔오게 한 것이었다. 잃어버린 기억 속에 갇혀있던 시간에서조차 그를 사랑하고 있던 것이다.

그리고 그와 함께한 모든 추억을 다 떠올리고 나서야 내 기억 퍼즐은 완성되었다.

내가 그를 기억하지 못한 시간 속에서도 사랑했던 우리는 함께 채워나갈 새로운 퍼즐을 만들었다. 함께하지 못한 시간보다 더 큰 시간을 채울 수 있는 커다란 퍼즐을. 아직 우리의 퍼즐은 텅텅 비어있다. 우린 그 퍼즐 앞에서 약속했다.

함께하지 못한 시간만큼 서로를 더 열렬히 사랑할 것을.

각인 刻印

인델러블 [안혜정]

너튜브에서 스쿠버 다이빙을 하며 영상을 찍어 올리던 유명 너튜버인 마레의 활동이 돌연 정지되었다. 이유는 아무도 모른다. 어째서? 시간이 지나갈수록 점점 그녀의 너튜브 댓글창은 그녀를 걱정하는 투에서 그녀를 비방하고 모욕하는 말들로 가득 차고 있었다.

그러던 와중 한 팬이 가을이 끝나가는 시즌에 올라온 마레의 마지막 영상을 지목하며 그녀가 죽었다는 가설을 설명하였다. 그 영상에 내용은 그녀가 평소보다 조금 더 깊은 바다에 들어간 영상이었다. 그리고 영상 중반에는 어느 형체가 자신을 따라다닌다며 신기해하는 모습도, 후반에는 아예 이 바다에서 나오지 못할 정도로 기분이 좋다. 라는 말을 남기고 너튜브의 영상이 끊겼다.

하지만 이렇다면 문제점이 생기는데, 그녀가 죽었음에도 어째서 영상이 올라왔냐가 문제였다. 사람들은 그 가설을 세운 사람은 엉터리라며 욕설을 들이부었다.

그럼에도 의문은 풀리지 않았다. 그녀가 죽었다느니, 아니면 사이비에 빠졌다느니, 그것도 아니라면 설마 감방? 이런저런 추측들이 난무했지만 결국 어느 하나 정답을 찾을 수 없었다.

사람들은 참 복잡하다. 없어졌음 없어진 대로 살아가도 되는 걸 찾으려 노력한다니, 바보 같다. 그 유명한 너튜버 마레가 없어진 이유를 알면 까무러칠걸.

사실 아까 그 가설은 정말 엉터리였다. 그녀는 지금 숨을 쉬며 살아있으니까. 단지 하루의 2/3는 잠으로, 남은 시간 바다로 들어가서 보낸다는 게 문제였다. 밥을 먹어도 뭐가 부족한지 내가 잠시 한눈을 팔면 바다에 물고기를 잡아먹고 있다던가 아니면 해초를 뜯어 먹고 있다던가, 그런 비이상적인 행동을 한다.

나와 그녀는 20여 년 동안 절친한 친구로 지내 온 사이였다. 태어날 때부터 질긴 인연을 이어왔고 그녀의 지지자로서 승승장구하던 그녀를 항상 도와주었다. 볼 거 못 볼 거를 다 보고 둘이서 같이 잠에 드는 것도 한두 번이 아니었다.

그런 그녀가 갑자기 이런 태도를 보이니 당황스럽지 않다면 당연히 거짓말이겠지. 처음에는 정말 정신병이라도 걸릴 것이 아닐까 생각이 들어 병원에 데려가려다, 가녀린 목소리로 자신을 병원에 데려가면 죽어버리겠다 말하는 그녀를 병원에 데려가는 건 일찌감치 포기한 지 오래였다.
그렇게 하루에서 이틀, 이틀에서 일주일, 일주일이 한 달을 넘어가며 생기발랄하던 그녀는 점점 말수가 없어지고 눈에 띄게 말라갔다.

그녀를 돌보는 시간이 많아질수록 내 정신은 피폐해지기 시작했다. 점점 조금씩 나의 쓸모가 없어지는 느낌을 받기 시작했다.

아아, 제발, 나 좀 불러줘. 나 너무 초라해…. 누군가의 지지자로서 있고 싶어.

"따라와."

어느 날 그녀가 드디어 나를 부르며 아래에 푸른 바다가 깔린 절벽으로 데려갔다. 그녀는 자신이 그날, 가을의 끝자락에서 바다의 무언가를 보았던 것을 찬양하고 또 찬양했다. 기도하듯이 손을 모은 그녀의 눈은 제정신이 아니었다. 초점을 잃은 채 찬 바닷바람을 맞으면서도 한 번 감지도 않는 눈을 보니 어쩌면 그녀가 이 세상 사람이 아닌 것 같다-라는 감상평만 남을 뿐이었다.

"우린 저 바다에서 온 거야!"

"난 보았어. 그리고 또 기억했어. 저 바다 밑에 무엇이 있고, 우리가 어떻게 태어났으며, 무엇이 우릴 올려 보내줬는지 말이야."

무슨 말인지 전혀 감이 잡히질 않는다. 그녀가 이렇게 망가져 가는… 아니, 이미 망가져 있었나. 잠자코 그녀의 말을 들어야 할지 고민하던 차에 그녀가 다시 말을 이었다.

"바다는 정말 신비롭고 아름다워. 낮이 되면 에메랄드빛을 내며 빛나고 밤이 되면 푸른 사파이어처럼 빛나. 우리는 분명 저기 저 미지의 끝에서 태어난 거라고. 우리가 명을 다한다면, 저 먼 미지의 끝으로 다시 돌아갈 거야."

그때 무엇을 봤기에? 라는 물음은 그녀가 내 목을 잡고 숨통을 조이는 바람에 한마디도 꺼내지 못하였다.

"우리 둘이, 그 바다로 돌아가자. 너는 나의 -잖아."

목을 조여지는 순간에도 선명하게 들리는 파도의 소리와 그녀의 가녀린 목소리는 내 정신을 헤집어놓았다. 이윽고 가냘픈 숨이 막히니 아까까지만 해도 들리던 그녀의 목소리도 들리지 않는다. 역시 제정신은 아니다. 하지만 난 그것을 거부할 수 없다. 이제 그녀는 나의 전부니까.

…어쩌면 그때 그녀를 병원에 안 데려갔던 건 정말 내 실수일지도 모른다.

의식이 점점 멀어지는 것을 느꼈고, 그녀는 추욱 늘어진 내 몸을 붙잡더니 함께 바다로 뛰어들었다.

그리고 난 그곳에서 그녀가 말한 '바다'라는 존재를 확인했다.

그녀의 말을 믿을 수 있다. 아니 믿을 수밖에 없었다. 그녀는 나에게 사실만 말해주고 있었다. 경이롭고 또 경이로운 그 모습이 아직도 머릿속에서 떠나가지를 않는다.

그녀의 말은 모두 사실이야.

내 기억 속에 이렇게 똑똑히 살아있는걸.

그 말은 정말 진실이었어.

바다는 참 신비한 존재이다. 비록 그것이 초롱 아귀처럼 먹이를 홀려 잡아먹는 존재라고 할지라도, 난 그것을 경외한다.

각인 (刻印)

- 머릿속에 새겨 넣듯 깊이 기억됨. 또는 그 기억.

2시 45분

백유월 [최고은]

새벽 2시 45분

"아 오늘도인가…."

<쨍그랑>

오늘도 학교에서 친하게 지내던 친구 한 명이 보이지 않는다. 우리 학교에는 이상한 소문이 돈다. 그 소문을 듣고 나서부턴가 새벽에 자꾸 이상한 소리가 들린다. 아마 친구들이 한 명씩 없어지는 것도 이 소리 때문이 아닐까 싶다. 별거 아닌 것 같지만 쓸데없이 소름 돋는 그 소문….

"흠 아냐, 그 소문이 사실일 리가 없어."

나는 원래부터 소문은 잘 믿지 않았다. 소문을 들으며 소름이 돋거나, 별로 무섭지도 않았다. 하지만… 이번 소문은 뭔가 좀 싸한 느낌이 들었달까.

<쨍그랑>

매일 새벽, 이 소리 때문에 나는 잠에 들지 못한다. 만약 그 소문이 사실이라면 이번엔 누가 죽었을까? 아, 내가 아까부터 말하던 소문이란, 아주 옛날 우리 학교에서만 전해져 내려온 소문이라고 한다. 매일 밤 2시부터 3시 전까지 촛불 세 개를 켜놓고 눈을 감고 자신이 원하는 사람의 머리카락 3가닥을 각각 촛불에 태운 뒤, 눈을 뜬다. 그리고 물을 받아둔 유리잔에 자신의 피를 두세 방울 정도 넣은 뒤, 주술을 외우면 그 사람이 하루아침에 아무 이유도 없이 죽는다고 한다. 처음에는 그냥 이런 소문도 있구나라는 생각을 했지만, 날이 갈수록 이건 보통이 아니라고 생각했다. 매일 새벽마다 들려오는 이 <쨍그랑> 소리….

"어쩌면 곧 내 차례도 오지 않을까?"

지금까지 아무 이유 없이 죽은 사람들을 생각해 보면…. 어라? 거의 모두가 우리 반 애들이다. 나는 그 범인이 우리 반 아이일 가능성이 클 거라고 생각한다. 내일 아침 그 범인을 찾을 거라 다짐했다. 그 소문을 보면 머리카락이 필요하다고 했으니 머리카락을 채집하는 사람을 찾으면 된다.

"흠, 뭐야 생각보다 쉬운걸?"

벌써 범인으로 의심 가는 애가 보이기 시작했다. 어라? 재는…. 그 애는 다름 아닌 우리 반에서 가장 조용한 모범생이었다. 워낙 성격도 좋고 예쁘게 생겨서 남자애들에게도 인기가 많았다. 그리고 나랑도 친분이 있었다. 설마 재가 그랬겠어…. 에이 아닐 거야. 그저, 그저 친구의 어깨의 붙은 머리카락을 때주려 했던 게 아닐까? 나는 누가 봐도 저 아이가 수상한 짓을 했다고 생각하지만, 뭔가 저 아이는 범인이 아닐 것 같았다. 친해서 그런 것도 아니었다. 그저 그냥 그런 느낌이었다. 나는 온갖 의심을 품은 채 잠자리에 누웠다. 그리고 잠에 드는 순간….

<쨍그랑>

아 역시나 오늘도 2시 45분 정확히 소리가 들렸다. 갑자기 의문이 생겼다. 아무리 2시부터 3시 전까지라지만 왜 굳이 정확히 2시 45분이 되어서야 소리가 들릴까. 그럼 범인은 딱 저 시간이 되어야지만 유리잔을 깨는 것일까? 소리는 좀 오랫동안 들려왔지만 단 한 번도 더 늦거나 더 빠른 적이 없었다. 하지만 시간 안에 준비하고 유리잔을 깨려면 조금이나마 시간에 오차가 생길 것이다. 하지만 오차가 없이 딱 제시간에 깬다는 것은….

'미리 준비해놓고 그 시간이 되자마자 깨는 것'

그렇다. 이게 아니면 다른 방법은 없다. 내일 10분 전 소리가 나는 쪽으로 이동해서 범인이 누군지 알아낼 것이다. 소리가 나는 쪽이라면 대충은 알고 있다. 집 주변 좁은 통로. 아마 그쪽일 것이다. 그 주변에는 사람도 많이 지나다니지 않고, 워낙 조용하기 때문이다.

나는 정확히 5분 전 그 장소로 도착하였다. 역시 내 예상이 맞았다. 그 통로 끝에는 좀 많이 닳아있는 양초 3개가 놓여있었다.

"범인은 이것으로 주술을 외워 사람을 죽였겠지…."

몇 분이 지났을까 사람의 발소리가 들렸다.

'헉 이쪽으로 온다!'

나는 재빨리 주변 어딘가로 숨어 상황을 지켜보았다. 범인은 어라? 예상치도 못했다. 범인이 다름 아닌 나와 가장 친한 친구였기 때문이다. 너무 놀라서 발을 삐끗해 그 자리에서 넘어지고 말았다. 순간 그 아이와 눈이 마주친 것 같았지만, 그 아이는 주술을 외우느라 바빠 날 못 알아본 것 같았다. 나는 그사이에 재빨리 뛰어 집으로 들어왔다.

집에 와서도 난 쉽게 잠에 들지 못했다. 범인이 나와 가장 친한 친구였다니…. 그렇게 뜬눈으로 밤을 새우고 학교로 갔다. 학교에서는 나와 가장 친한 친구가 나를 반겨주고 있었다. 평소처럼 행동하려 했지만, 그렇게 되지 않았다. 어쩌면 나도 죽을 수도 있을 거라는 생각에 무서웠다.

"오늘은 반장이 학교에 안 왔네?"

그 아이가 말했다. 어제 죽인 아이는 반장이었다는 걸 난 단번에 알아챘다.

"어라? 너 안색이 안 좋아 어디 아프니?"

그 아이가 건들자 온몸에 소름이 돋았다. 나는 그 자리를 떠 화장실로 도망치듯이 들어갔다.

그렇게 수업 종이 치고 난 교실로 들어갔다.

툭_

옆자리에 앉아있던 그 아이는 나에게 쪽지 하나를 넘겼다. 그 쪽지에는 [점심시간에 잠깐 나 좀 보자.]라는 글이 남겨져 있었다. 혹시나 새벽에 그 일로 날 부르는 건가 싶어 식은땀이 흘렀다. 수업시간에도 그 쪽지가 계속 신경 쓰여 집중하지 못했다. 그렇게 수업시간이 끝나고 어느덧 점심시간이 되었다.

"학교 뒤편으로 나와"

그 아이가 내 귀에 대고 속삭이듯 말했다. 학교 뒤편으로 가니 그 아이가 서 있었다.

"얘! 여기, 여기!"

그 아이는 날 반기듯이 손을 흔들었다.

"나 너에게 할 말이 있어. 아무한테도 말하면 안 되는 거다?"

무언가 비밀을 말하듯이 그 아이는 내 귀에 입을 갖다 댔다.

"사실 그거 내가 했어."

처음에는 그게 무슨 말인지 이해가 안 돼서 다시 물어봤다.

"뭐, 뭐를?"
"그거 말이야 그거 유리잔, 새벽에 몰래 본 거 너 맞지?"

나는 온몸에 소름이 돋았다.

“무슨 소리야! 나, 나는 당연히 아니지”
“후후후~ 그렇지, 그렇지! 너 일리가 없지!”

나는 떨리는 목소리를 가다듬고 조심스럽게 물어보았다.

“근데 너는 대체 왜 이런 일을 하는 거야?”
“흠, 그냥 재미랄까?”
“나도 죽일 거야?”
“에이 난 친구는 안 죽여!”
“그럼 지금까지 죽인 애들은….”
“넌 걔네가 내 친구라 생각해?”

순간 나는 안 죽겠다는 생각에 조금이나마 안심이 되었다.

‘그래 난 그 아이의 가장 친한 친구야 그러니 난 죽지 않을 거야.’

점심시간이 끝나는 종이 울리고 우리는 교실로 돌아갔다. 평소 같으면 수업시간에도 몰래 떠들다가 선생님께 들켜 혼났겠지만, 오늘은 둘 다 말을 하지 않았다. 그렇게 조용히 하교했다. 매일 하교를 같이했던 우리지만 오늘은 같이 하지 않았다.

나에겐 다행히 다른 친구가 있었지만 그 아이는 친구가 많지 않았다. 나는 다른 친구와 함께 하교하며 그 이야기를 털어놓았다. 친구는 놀라며 그 아이가 뭔가 좀 수상한 구석이 있었다고 말했다.

또 밤이 지나고, 새벽이 되었다. 왜인지 오늘은 소리가 들리지 않았다. 그 아이에게 문제가 생긴 건 아닐까 걱정이 되었지만, 또 한편으로는 오늘은 누가 죽지 않을 거라 생각하니 안심이 되었다. 그렇게 조용한 밤이 지나고 아침이 왔다. 학교에 와 자리에 앉았는데 오늘은 그 아이가 날 반겨주지도 않았다. 오히려 다행이라 생각했다. 뒤에 애들은 모두 그 아이를 보며 속닥거렸다. 나는 그 애들한테 조용히 가서 무슨 일이 있냐 물었다. 그러더니 돌아오는 대답은….

'야 얘가 살인자라며?'였다. 나는 놀라서 온몸이 굳어버렸다. 아무한테도 말하지 않았는데, 얘네들은 대체 어떻게 안 거지? 그 아이는 이 소문을 내가 퍼트렸다 생각할 것이다. 오해를 풀어주러 그 아이에게 다가갔지만 내가 다가가자 그 아이는 자리를 박차고 나가버렸다. 그리고 수업시간이 되자 돌아왔다. 그 아이가 돌아오지 않을까 봐 걱정했다. 수업시간에 조용히 쪽지를 넘겼다. 그 쪽지에는 <내가 소문을 퍼트린 건 아니지만 미안해 사과할게. 나도 소문이 나서 너무 당황스러워>라고 적었다.

쪽지가 나에게 돌아왔다. 거기에는 [네가 그런 게 아니라니 참 다행이야! 사과는 안 해도 돼! 넌 내 친구니까!]라는 대답이 돌아왔다. 안심되었다. 오늘은 다시 전처럼 돌아가려 말도 자주 걸었다. 전처럼 많이 하진 않았지만, 이렇게 대화하는 것만으로도 전으로 돌아간 것 같았다. 행복했다. 친구를 잃을까 두려웠다. 그 아이도 날 진정한 친구로 생각하는 것 같아 좋았다. 그렇게 오늘은 그 아이와 같이 하교했다. 오랜만이었다.

오늘은 일찍 잠에 들었다. 아침이 되었는데 눈이 떠지지 않았다.

'하하, 역시 너는 날 친구라고 생각하지 않았던 거구나.'

스케줄표

시샘달 [정다솔]

"내일 하늘공원 순찰하고 그 근처 사거리 쪽에 교통정리 해야 하니까 내일 늦지 말고 11시까지 나와."

"네 알겠습니다."

"야, 근데 너는 스케줄표 정리 안 해놔? 나중에 까먹으면 어쩌려고."

"아이, 선배님 저 이렇게 보여도 기억력 완전 좋습니다."

"네가 지금 신입이라 그럴지 몰라도 일주일만 지나 봐라, 일 엄청 많아져."

"아이고 참, 알겠습니다-."

건성으로 대답하며 나가는 새로 들어온 신입 경찰 '김진우' 그리고 그 모습을 바라보는 경력 9년 차 경찰 '박재훈'.

"어휴, 저놈 또 저러고 스케줄표 정리 안 해 놓을 거 뻔하지."

사건 발생 D-3

다음 날, 아침 8시 재훈은 뻐근한 허리를 잡으며 일어났다. 새벽까지 야간 업무를 하다 파출소에서 잠이 들었기 때문에 허리가 뻐근한 모양이다.

"어휴, 오늘은 김 순경이 늦지 말고 나와야 할 텐데,"

딸랑_

파출소 문이 열리는 소리가 났다.

"좋은 아침입니다, 선배님- 오늘 일찍 나오셨네요? 평소에 제가 시간 안 맞춰 나와서 심리적 압박감 주려고 일찍 나오신 건가요?"
"무슨 말을 그렇게 해? 어제 야간 업무 하느라 여기서 잠들어서 그래. 그러는 넌 오늘따라 왜 이렇게 일찍 왔냐?"
"아니-, 어제 선배님께서 제 기억력 무시하시길래- 오늘 일찍 나와봤어요-."

어이없는 표정으로 진우를 쳐다보는 재훈.

'어린놈이 선배한테 말하는 거 봐라, 쯧쯧.'

"아 참, 김 순경. 오늘 하늘공원 옆에 하늘 아파트 알지? 그쪽 골목에 이상한 할아버지나 술에 취한 사람들이 많은가 봐. 거기도 이따 밤에 순찰할 거니까 알고 있어."
"네, 알겠습니다."

***

오전 11시, 어제 진우와 순찰하기로 한 하늘공원에 나와 있는 재훈. 시간이 다 되었음에도 불구하고 도착하지 않는 진우.

“아니 이거 봐, 어제 스케줄표 정리하라고 말했는데 또 늦어.”

오전 11시 28분, 약속 시간 28분 후에야 도착한 진우.

“야 김진우! 내가 어제 뭐라 말했냐. 네가 바빠서 스케줄표 정리를 못 하는 것도 아니고 아직 신입이라 하는 것도 없는 놈이 왜 이래?”
“…죄송합니다. 근데 이제 점심시간이지 않습니까? 밥은 먹고 오게 해줘야지.”
“너 뭐라 말했어? 네가 뭘 잘했다고. 빨리 순찰이나 하자.”

사실 점심시간은 핑계였고, 요즘 유행하는 총 게임에 정신이 팔려 시간을 못 보고 늦어버린 진우. 대낮부터 서로 마음이 상한 진우와 재훈과는 반대로 하늘공원의 뛰어노는 아이들, 하하 호호 떠드는 할머니들은 한없이 즐거워 보인다.

‘나도 3년 전만 해도 결혼할 수 있었는데. 그때 내 아이가 생겼더라면 저 또래겠지?’

경찰이라는 직업의 특성상 여유롭게 연애하기란 ‘하늘의 별 따기’였기에 매번 시도하는 연애마다 금방 깨졌던 재훈.

"선배님, 저기 술에 취한 사람 자고 있는데요."
"응? 어디?"
"저기 벤치에 누워있어요."

그 벤치로 성큼성큼 걸어가는 재훈과 진우

"아이고, 얼마나 마셨길래 악취가 엄청나네."
"김 순경, 쓸데없는 말은 삼가도록 해. 저기 아저씨 여기서 주무시면 안 됩니다. 얼른 일어나세요."
"예? 아, 예 죄송합니다."

'악취에 비해 정신은 멀쩡한가 보네.'

"김 순경, 이제 순찰 끝났으니까 저쪽 사거리 교통정리 하러 가자."
"아, 근데 저 배가 너무 고픈데 밥만 먹고 하면 안 됩니까?"
"김 순경 밥 먹느라 늦었다며?"
"배가 또 고파서요."
"안 돼, 나도 밥 못 먹고 일하는 거야. 얼른 가자."

'선배면 다인가 욕 나오네. 저번에 예쁜 여경 선배 있던데, 그 선배랑 일하고 싶다.'

"너 무슨 생각해, 얼른 따라와."

사건 발생 D-2

어제도 야간 업무를 하고 책상에서 잠든 재훈.

"오늘은 파출소에서 잠든 것 치고는 개운하네. 항상 이랬으면 좋겠다."

딸랑_

파출소 문이 열리는 소리가 들린다.

"어이, 박재훈- 오랜만이네-. 본지 오래돼서 기억 못 하는 건 아니지?"
"어? 이성진 선배님! 오랜만입니다! 당연히 기억하죠-."
"자네, 요즘 들어온 신입한테 엄청 뭐라 한다며?"
아니 그건, 신입이 기억력도 안 좋으면서 스케줄표 정리도 안 하고, 그래서 항상 늦는 거
마디 한 것뿐이에요."
"그래도 너무 뭐라 하지는 말게, 걔도 나름대로 힘들 거야."
"하하, 뭐, 네. 앞으로 더 잘해보려고 노력할게요."
"난 아침부터 일이 많아서 이만 가볼게. 다음에 밥 한 끼 하자-."
"네- 들어가세요, 선배님-. 음, 시간이 9시네. 근데 이 자식 아직도 안 와?"

딸랑_

"선배님 죄송해요. 오늘 늦잠을 자는 바람에."
"너한테는 뭐라 할 힘도 없다. 오늘 나, 일 많으니까 혼자 순찰 갔다

오고, 오후 3시쯤에 음주 운전 단속하는 거 도와줘."
"오후 3시여도 낮인데 음주 운전단속을 해요?"
"요즘에 낮술 하는 사람이 얼마나 많은데. 넌 경찰이면서 그것도 모르…."
"예, 예- 다녀오겠습니다-."

'아 저거 진짜 하다 하다 선배 말을 끊네.'

재훈은 한숨을 쉬며 어제 못 끝낸 일을 마저 한다. 오후 3시 6분, 일하느라 의도치 않게 늦어버린 재훈은 헐레벌떡 뛰어온다.

"에이, 선배님- 선배님도 스케줄 좀 잘 확인하셔야겠네- 전 기억력이 좋아서 그런지 스케줄표 정리 안 했는데 안 늦었습니다-."

'저거 아직도 정리 안 했나 보네, 말 진짜 안 들어.'

"아 그래, 미안하다-. 얼른 가자."

재훈은 애써 웃으며 단속할 자리로 간다. 시간이 흘러 5시 3분,

삑삑_

"어? 저기 잠시 내려서 협조 좀 해주셔야 하겠습니다. 단속에 걸리셔서요."
"아니 무슨 소리야. 내가 뭔 단속?"

'아 냄새.'

진한 술 냄새를 맡은 재훈이 찡그린다.

“음주요. 술 드시고 운전하셨죠? 지금 면허 취소 수준이라 서에 같이 가셔야 합니다.”
“무슨 소리야! 술 안 먹었어!”

시간이 흘러 5분째, 실랑이가 계속되자 보다 못한 진우가 나선다.

“저기 아줌마 얼른 가시죠.”
“아줌마? 넌 또 뭔데!?”
“이러시면 업무 방해도 들어가서 처벌 더 됩니다.”
“예? 아이고, 알겠어요. 처음부터 그렇게 말하던가, 쯧.”

그제야 끝난 실랑이. 진우는 뿌듯한 표정으로 재훈을 쳐다본다. 그리고 드디어 끝났다는 안심의 한숨을 내쉬는 재훈.

“선배, 오늘 저 좀 멋졌죠? 선배는 8년이나 했다면서 저런 사람 처음 만나요?”
“야, 나 무시하냐?”
“그건 아닌데, 좀 웃기잖아요. 신입이 경력직을 도와준 거.”
“그게 뭐가 웃겨. 도움받을 수도 있는 거지.”
“하긴 뭐 쉽게 인정하기 싫으시죠? ㅋㅋ”
“뭐라는 거야. 할 말, 못 할 말 구분해라.”
“아이, 선배 장난이에요- 그럼 저 들어가 보겠습니다.”

화가 난 재훈은 진우의 인사를 무시한다.

사건 발생 D-1

딸랑_

“안녕하세요- 좋은 아침입니다, 선배님들-.”

오전 8시, 어쩐 일인지 일찍 나온 진우.

“야, 네가 무슨 일로 일찍 나왔어?”
“저 원래도 잘 나오잖아요- 뭘 새삼스럽게.”

너스레를 떠는 진우를 바라보고 있는 2년 차가 된 여경 ‘김세연’

“진우 씨는 신입인데도 엄청 부지런하게 다니시네요-.”

사실 진우는 세연이를 처음 본 날, 좋아하게 되었다. 그래서 세연이 파출소로 출근하는 날을 알아내 그날만 일찍 오기로 마음을 먹었다. 그리고 오늘이 바로 그날.

‘쟤 오늘 세연이 오는 날인 거 알고 일찍 왔네.’

눈치가 빠른 재훈은 그걸 알아채고 헛웃음을 친다.

“하! 그래그래- 알겠으니까 평소에나 그렇게 일찍 좀 다녀봐-.”
“아이, 선배님 저 원래 일찍 다니는데 왜 그러실까나-?”

보다 못한 세연이 말한다.

"하하, 그러면 저는 오늘 좀 바빠서 먼저 가볼게요-."
"네! 안녕히 가세요, 선배님!"

평소에 재훈에게 하는 행동과는 다르게 세연에게는 예의 바른 모습을 보여주는 진우. 재훈은 못마땅해한다. 재훈과 진우는 오늘도 다른 날과 다름없이 서로 기분이 상한 채 각자 일을 하게 된다. 그렇게 밤이 되고, 재훈은 마지막 순찰을 돌고 들어가기 위해 파출소로 들어선다. 몰려오는 졸음을 떨쳐내기 위해 커피를 너무 마신 탓인지 화장실로 향하는 재훈.

"아 씨, 커피 조금만 마실걸. 화장실 가면 퇴근 시간 더 늦춰지는데."

그렇게 화장실로 들어선 재훈은 익숙한 목소리를 듣게 된다. 그 목소리의 주인공은 진우. 아마 전화 중인 듯하다.

"아니, 말만 선배지 일을 너무 못 알려줘. 엄청 이쁜 여경이 있는데 그 사람이랑 일하고 싶어서 좀 너스레 떨었더니 완전 부들부들 떨면서 끝까지 내 이미지 망치더라고. 아무튼, 자기 못난 건 알아서는."

이 소리를 들은 재훈은 당황하며 계속 들어보기로 한다.

"걔? 걔는 지금 일하고 있어서 못 들어. 그리고 들으면 어쩔 건데? 일을 못 하니까 맨날 야간 업무 하더라고. 심지어는 저번에 음주 단속하는 거 같이 했거든? 그때 내가 도와줬다니까."

야간 업무. 음주 단속. 이 단어를 들은 재훈은 저번 기억이 떠오르며 단번에 자신의 얘기인 것을 알아챘다.

‘내 뒷담을 하네? 하, 일단 뭐 어쩌겠어. 그냥 다른 화장실 가자.’

소리가 최대한 안 나도록 화장실 밖으로 나오는 재훈. 그리고 몇 분 뒤, 진우 또한 나와 집으로 향한다.

사건 발생 D-DAY

오전 11시. 아직 출근을 안 한 진우.

“와, 이제는 그냥 안 오겠다는 건가?”

점점 화가 치밀어 오르는 재훈. 그 뒤로 재훈의 벨 소리가 들린다.

“여보세요? 김진우 순경 소속 하늘 파출소 박재훈 경사 맞으시죠? 여기 지역경찰서입니다. 김진우 씨가 살인사건 용의자로 체포되셨습니다.”
“네? 장난 전화 안 받습니다.”
“장난 전화 아닙니다. 얼른 와주시면 감사하겠습니다.”

뚜 뚜 뚜_

순식간에 고요해진 파출소. 적막만 흐른다. 적막을 깬 재훈의 발소리. 재훈은 그대로 지역경찰서로 향한다. 그렇게 도착한 후, 재훈은 건물 안으로 달려간다. 내심 장난 전화였길 바라면서. 안으로 들어간 재훈은 말을 이을 수 없었다. 용의자가 앉아있어야 할 조사 석에 진우가 앉아 있었기 때문이다.

"야 김진우. 이거 어떻게 된 거야. 살인이라니."

"선배님 저도 모르겠어요. 아침에 출근하다 길에 쓰러진 사람을 봐서 부축하려고 드는 순간 제 손에 칼이 잡혔고 그 사이로 피가 흐르고 있었어요. 저 근데 진짜 범인 아니에요."

진우는 눈물을 흘리며 재훈은 손을 잡는다.

"저기요 김진우 씨, 조사에만 집중하시고 박재훈 경사님은 잠시 얘기 좀 해야겠습니다."

조사하던 경찰이 말했다.

"네."

재훈이 답했다. 그렇게 어느 방으로 들어가게 된 재훈.

"여기 앉으시죠."

경찰이 먼저 말을 건네었다.

"아직 얼마 되지 않은 신입 경찰이 살인이라니, 이 일을 기자가 알게 되면 너무 곤란해집니다. 그래서 최대한 조용히 조사할 것이고, 정말 김진우가 범인으로 확정될 때, 그때 세상에 알릴 겁니다."

"그래서 저를 부르신 이유가 뭐죠."

"김진우 씨 알리바이 확보를 하려고요. 사건 발생 시각 전에 뭘 했는지 물어보니까 계속 집에 있다 출근한 것이고, 집으로 가기 전, 박경사님이랑 같이 있었다고 하더군요."

"사건 발생 시각이 언제죠?"

"오전 9시 27분입니다. 그 장면을 어떤 시민분이 목격하고 신고하셨어요."

"집으로 가기 전 저와 있던 것은 맞습니다."

"혹시 김진우 씨가 언제쯤 퇴근하셨는지 아십니까?"

"아마 오후 10시 20분쯤입니다. 저는 진우가 일을 다 끝냈다길래, 퇴근을 시키고, 밀린 업무를 마저 하고 있었어요."

"다 기억하시네요?"

"제 스케줄표에도 그렇게 되어있고, 파출소 안 시시티브이에도 제가 남은 일 처리를 하고 있던 것이 찍혀있을 겁니다."

"그럼 혹시 박 경사님은 언제 퇴근하셨나요?"

"아마 오후 11시쯤입니다."

"그렇군요. 그럼 김진우 씨 스케줄표를 확인하고 싶은데."

"그건 진우에게 물어보는 것이 좋겠네요."

"음, 네 알겠습니다. 그럼 나가보셔도 됩니다."

"안녕히 계세요."

***

무거운 마음으로 걸어 나오는 재훈. 그 길로 다시 진우에게 향한다.

"진우야, 나는 너 아닐 거라고 믿는다. 네가 평소에 말을 안 듣긴 했어도 살인을 저지를 애가 아닌 건 알아."

"믿어주셔서 감사합니다, 선배님. 근데 저 너무 무서워요."

"이럴 때일수록 정신 똑바로 차려. 그럼 가볼게."

복잡한 마음으로 경찰서를 나가는 재훈. 진우가 그럴 아이가 아닌 걸 알면서도 걱정되고 심란한 마음이 떨어나가지 않는다.

***

안에서는 조사가 계속되고 있다.

"방금 전, 박 경사님과 얘기를 좀 나눴습니다. 거기서 스케줄표 얘기가 나왔거든요. 김진우 씨 스케줄표를 좀 보고 싶은데 어디 두셨어요?"
"저, 스케줄표가 꼭 필요한가요?"
"경찰이라면 무조건 가지고 있어야 이렇게 큰 사건이 발생 되었을 때 알리바이 확인이 되거든요."
"사실 제가 스케줄표를 안 만들어서요…"
"예? 경찰로 입사한 지 일주일은 되지 않으셨어요? 초반에는 일이 거의 없어서 스케줄표 만들라고 하셨을 텐데?"
"네, 그런데 제가 기억력이 좋아서 그냥 안 만들었습니다."
"기억력이 좋으시다고요? 그럼, 그날 스케줄 좀 말씀해주세요."
"낮에 하늘공원 옆 골목 순찰하러 갔다가, 음, 어, 또 어디 갔었는데."
"이것 봐요. 이러고도 기억력이 좋다는 말이 나옵니까?"
"죄송합니다…."
"아직까지의 조사 결과로는 칼의 지문이 김진우 씨 밖에 안 나왔습니다."
"저 진짜 아닌데…"
"말로만 아니라고 하시면 어떡합니까. 일단 조금만 더 기다려보세요.”

진우는 눈물이 멈추지 않는다. 그 눈물 한 방울에 후회, 억울함이 들어있다.

며칠 후, 진우가 법정에 서게 되었다. 죄목은 당연히 살인. 끝내 진우가 범인이 아니라는 증거가 나오지 않았고. 진우의 알리바이가 정확하게 입증이 어려웠기에 결국은 법정에 서게 되었다. 재훈은 착잡한 마음으로 법정으로 들어선다.

‘그렇게. 아닐 거라고 믿었건만.’

재훈은 진우의 뒷모습을 바라본다. 징역 21년이라는 말이 떨어지고 그렇게 나가려는 순간.

“마지막으로 할 말 있습니까?”

판사가 말했다. 재훈은 진우의 마지막 말이 있을까 하며, 있다면 듣고 가야겠다는 마음으로 다시 착석한다.

“있습니다.”

‘할 말이 있다고? 죄를 저지르고도 끝까지 한결같네.’

재훈은 생각한다.

“저의 마지막 할 말, 진범을 밝히겠습니다.”

진우의 한 마디에 법정 안이 소란스러워진다.

“모두 정숙하세요. 진범을 밝히겠다고요? 그럼, 진범이 누구죠?”
“진범은…”

진실

“아 그렇군요. 근데 제가 알기로는 파출소에서 김진우 씨 집까지 걸어서 10분도 채 걸리지 않던데. 집에 가다가 범행을 저지른 것이 아니라 집에 갔다가 나와서 범행을 저지른 것일까요?”
“네?”
“그럴 확률은 현저히 낮죠. 옷차림이 달랐으면 모를까. 그 당시 김진우 씨의 옷차림은 경찰복이었어요.”
“그게 그래서 뭐요?”
“박재훈 씨, 상황파악이 안 되시나 보네요. 범인이 김진우 씨가 아닐 수도 있다는 것입니다. 질문 하나만 더 하겠습니다. 그날, 김진우 씨는 원래 박 경사님과 일을 나가죠. 하지만 그날은 박 경사님이 너무 바빴죠. 그래서 김진우 씨가 혼자 일을 나갔냐고요? 그건 어렵습니다. 아직 얼마 안 된 신입 경찰이 혼자 나갔다 어떤 일을 마주하게 될지 모르거든요. 그래서 김진우 씨는 누구랑 나가게 되었죠?”
“…세연입니다.”
“그죠. 김세연 씨는 2년 차로 엄청 오래되진 않았지만 그래도 나름 경력이 있었기에, 박재훈 씨는 김진우 씨를 김세연 씨와 보냈겠죠. 사실 박재훈 씨 마음은 안 내켰겠지만요. 박재훈 씨, 김세연 씨 좋아하시죠?”
“…네.”
“그날 김세연 씨가 파출소로 출근한다는 것을 김진우 씨는 다 알고 있었겠죠. 진우 씨 또한 김세연 씨를 좋아하니까요. 그래서 아침 일찍 나왔고요. 그래서 범인이 누굴까요?"

"제가 어떻게 압니까."

"아니요, 박재훈 씨 아시잖아요. 범인이 누군지,"

"……."

"사실 평소에도 김진우 씨가 김세연 씨에게 많이 들이댔죠. 그래서 박재훈 씨는 김진우 씨를 더 싫어했고요. 그래서 김세연 씨도 김진우 씨가 오기 전에는 매일 파출소로 출근했지만, 김진우 씨가 오고 김세연 씨는 과도한 관심으로 힘들어해서 일주일 중 3일만 파출소로 출근하고 나머지 날에는 다른 파출소로 출근했죠. 맞죠?"

"…네."

"그리고 그날 같이 일하게 되자 김진우 씨의 들이댐이 많아지고, 김세연 씨는 스트레스가 심해져 버려 김진우 씨가 파출소로 출근하지 않았으면 좋겠다, 는 생각을 합니다. 그래서 김세연 씨도 박재훈 씨가 자신을 좋아하는 것을 알고, 살인을 뒤집어씌우겠다는 작전을 제안하고, 박재훈 씨는 마지못해 도와주게 되죠. 맞습니까?"

"…네 잘못했습니다."

"지금 당장 김세연 씨도 경찰서로 오라고 연락하세요."

"…진범은 김세연, 박재훈입니다."

끝.

구원자

沦 윤 [허지윤]

사람은 태어날 때 각기 다른 크기의 그릇을 품고 태어난다. 어떤 사람은 엄청나게 큰 그릇을, 또 어떤 사람은 작은 그릇을. 그 그릇의 이름은 '천수선기[天數還盞]'. 즉, 하늘이 내린 순회의 그릇. 그들은 그것에 이러한 이름을 붙였다.

부스럭-

"아···."

작은 신음과 함께 한 소녀가 이불 위로 얼굴을 들이밀었다. 그건 다름 아닌 나였다.

"이번이 몇 번째지…."

나는 비몽사몽인 얼굴로 벽에 기대앉아 손가락을 하나하나 접었다. 하나, 둘, 셋, 넷…. 어느새 손가락과 발가락이 모두 접혀있었고 나는 미끄러지듯 이불 속으로 들어가 깊은 한숨을 쉬었다. 그 상태로 몇 분이나 지났을까, 갑자기 머리를 이불 위로 훅 들이밀었다.

"아악! 이번이 21번째야! 21번째라고!"

나는 이불을 차며 토해내듯 몇 분 동안 소리를 질렀다. 너무 시끄러웠는지 건물주에게 연락이 오기는 했지만 그게 무슨 상관인가. 지금 내 머릿속에 남은 생각은 단 하나였다.

'X발 나 언제 죽어? 아, 물론 죽기는 하지만, 죽으면 기억을 다 잃어야 하는 거 아니냐고!'

이름 미상, 나이 알 수 없음, 그리고 현재 '21번째'. 그저 평범한 중학생처럼 보이는 이 사람은 전생… 아니 전전전생까지도 모조리 알고 있는, 신계의 언어로는 '순회자' 혹은 '시간 여행자', 그것이 나다. 그런데 기억이 있는 걸 왜 시간 여행자라고 하냐고? 그것은 나도 모르는 일이다. 그들이 지은 것인데 내가 알 길이 있어야지. 그렇지만 확실한 건, 나의 '천수선기', 그러니까 내 그릇이 엄청나게 크다는 것이다.

"그러니까 그 많은 기억이 아직도 머릿속에서 맴도는 거겠지…."

나는 한참을 더 중얼거렸고 아직도 알지 못하는 그것이 무엇인지 생각했다. 그러다 나는 목이 뻐근해져 고개를 살짝 들어보았고 어쩌다 보게 된 거울에 비친 모습은 놀랍기 짝이 없었다. 큰 눈은 고양이 같았고, 입술은 연한 체리 색이 빛나고 있었다. 화룡점정은 바로 동글동글한 코였다. 22번의 삶에서 단연코 가장 예쁜 얼굴이었다.

"미친, 존X 이쁘네."

나는 육성으로 감탄했다. 그 후에도 볼을 주무르며 내 얼굴을 감상했다. 그리고 생각했다. 이번엔 호구 짓 같은 건 안 하겠다고.

여러 번의 삶을 살면서 나는 다양한 일을 겪었고, 그와 동시에 다양한 성격이 되었다. 일진이 된 적도 있고 왕따가 된 적도 있었다. 그런 다양한 성격 중에 가장 거지 같은 건 다름 아닌 '호구'였다. 일진이 되는 것은 다른 사람을 괴롭히는 것을 싫어한다는 말로 회피할 수 있었고 왕따를 당하는 것은 초반의 나에게 충격이었지만 그 또한 몇 번째가 지나니 익숙해졌다. 물론 그 모든 것들이 순탄치는 않았지만. 근데 왜 가장 거지 같은 것이 호구냐고?

"그거야 이 X 같은 성격은 바꿀 수도 없으니까."

물론 나는 내 몸이 호구라는 사실을 알고 그 성격을 바꾸고자 했다. 하지만 참 거지같이 성격인 '호구'는 바꿀 수 없는 것이었다. 왜인지는 나도 알지 못한다. 어떠한 몸에 들어온 것이기 때문일 것 같지만. 그러나 내가 다른 사람의 몸에 들어왔다는 가설도 하나의 추측일 뿐이다. 항상 어릴 때의 기억은 나지 않고 중학교 1학년부터의 삶에서부터 시작했기에 자연스레 다른 사람의 몸에 들어왔다고 생각한 것이니까. 그런데 누가 알았겠는가. 이 거지 같은 삶이 이리도 오래갈 줄.

계속되는 삶은 누군가에겐 소원일 수 있지만, 나에게는 벗어나지 못하는 지옥 같은 시간이었다. 솔직히 말하자면 첫 죽음을 겪고 얻은 두 번째 생에서의 나는 다시 살아난 것이 오히려 고마웠다. 사고 당시, 나는 아무 인사도 하지 못하고 허무하게 떠나버린 것이 너무 억울했다. 그런데 갑작스레 얻은 삶으로 후회한 그것을 충족시킬 수 있게 된 것이다. 그렇기에 난 그 삶에 감사하며 며칠을 걷고 뛰며 엄마를 찾아갔다. 하지만 그곳에서의 나는 이미 엄마의 딸이 아니었다. 그리고 나는 그 즉시 교통사고로 또다시 죽음을 맞이했다. 마치 이제 내가 전과는 아예 다른 사람이 되었다고 말하기라도 하는 것처럼. 이것이 내 첫 번째 삶(첫 번째로 얻은 삶)이다.

나는 첫 번째 삶이 그리 아쉽지는 않다. 아예 아쉽지 않다고 하면 그것은 거짓말이겠지만, 나는 그 삶 동안 최선을 다해 발버둥 쳤고, 원하던 결과는 아니었지만, 다시 한번 엄마를 볼 수 있던 것에 기뻤다. 그렇기에 꿈 같던 첫 번째 삶을 보내주려 했다. 하지만 이번엔 원하지 않았던 삶이 불쑥 튀어나왔다. 그것이 2번째 삶과 3번째 삶이었다.

'그때도 지금처럼 살면 됐던 거 아니냐고?'

눈을 뜨자 보이는 처음 보는 천장, 그리고 새로운 몸. 이것만으로도 나를 미치게 할 요인은 충분했다. 나를 정말 미치게 만들었던 것은 바로 '트라우마 (Trauma; 과거에 겪었던 정신적 충격으로 인해, 같은 상황이나 그와 비슷한 환경에 대해서 정신적으로 지속적인 영향을 미치는 정신적인 상처)'다. 죽음을 맞이할 당시에도 두려웠지만, 그것이 잊지 못하는 '기억'으로서 남아 있는 것은 다른 문제였다. 브레이크 소리가 나기만 해도 나의 몸은 죽음을 인식했고 그 느낌은 끔찍하기 짝이 없었다. 그렇게 나는 폐인처럼 4평짜리 원룸 안에만 틀어박혀 살다가 또다시 죽었다. 2번째와 3번째는 고작 3개월이었지만 지금까지 겪은 순간 중 가장 지옥 같은 순간이었다.

매일 밤 꿈에는 죽음의 순간이 나를 괴롭혔고 햇빛도 들지 않는 조그만 반지하 방은 매일 아침 나의 가슴을 옥죄었다.

하지만 다시 맞은 새로운 삶은 2번째, 3번째와 조금은 달랐다. 나는 반복되는 삶을 받아들이고 극복해 내기로, 평범한 삶처럼 살기로 했다.

나는 있기만 해도 토가 나올 것 같은 그 2평짜리 원룸에서 벗어나기로 제일 먼저 마음먹었다. 그 후로 돈을 모으기 위해 나이를 속이고 알바를 했고 몇 개월간 모은 돈으로 1층에 있는 작은 원룸을 구했다. 서

울의 월세 30만 원 보증금 1,000만 원인 지상 원룸은 그 반지하보다도 좁아 보였지만 들어가기만 해도 미칠 것 같았던 그곳보다는 나았다. 하지만 그들은 나의 아주 작은 행복도 허락하지 않았다.

어느덧 몸에 들어온 지도 7년이 지난날, 거지 같았던 고등학교를 마치고 만난 친구들, 사귄 지 벌써 1년이 된 남자친구. 이 모든 것들은 그들의 존재를 까맣게 잊고 행복에 잠식될 수 있도록 만들었다.

그리고 그날도 여느 때와 같이 학교를 마치고 여유롭게 집에 돌아가고 있었다. 하지만 나는 그날 내 남자친구가 친구와 키스하는 장면을 보게 되었다. 이 얼마나 막장 같은 이야기인가. 나는 그들이 있는 곳으로 천천히 걸어갔다. 그리고 나는 아예 정신을 놓았다. 솔직히 말하면 나는 그때의 기억이 없다. 기억나는 것은 딱 두 개, 정신을 차린 내 모습이 얼마나 처참했는지 그리고 겁에 질린 남자친구의 표정.

모든 게 망가졌다. 평범한 삶을 살자는 다짐도, 반복되는 삶을 받아들이자는 다짐도, 그리고 아주 조금 남아 있던 나의 마음도. 모든 게 다 피에 쓸려 사라졌다.

그 후 나는 교도소에 송치되었고 교도소에서의 삶은 그리 나쁘지 않았다. 아니, 오히려 좋았다. 그래서 나는 다시 다짐했다. 교도소에서 나가면, 그러면 다시 평범한 삶을 살 수 있을 것이라고. 그것이 더이상 이번 생에서 할 수 있는 일이 아닌 것을 알지만, 그래도 믿고 싶었다.

나는 아직 괜찮다고. 그런데 참 가혹하기도 하지, 그 다짐을 한 그날 나는 교도소의 옥상에서 떨어져 죽었다. 단연코 내가 옥상에 올라간 적은 없었다. 눈을 떠 보니 나는 옥상에서 떨어질 준비를 하고 있었고 내가 대응하기도 전에 땅바닥으로 떨어지기 시작했다. 그렇게 내 4번째 삶이 막을 내렸다.

새로운 삶이 시작되었다. 눈을 뜨자마자 징그럽도록 머릿속에 들어오는 죽음의 기억은 또다시 나에게 큰 충격을 주었다. 하지만 나는 다시 일어날 수밖에 없었다. 그렇게라도 하지 않으면 난 다시 미쳐버릴 게 뻔했기에.

그런데 5번째 삶은 평소와 무언가 달랐다. 새로운 삶에서 그를 또다시 만나게 된 것이 아닌가. 물론 그 또한 첫 번째 삶에서 만난 엄마처럼 나에 대한 기억은 없었지만 무언가 달랐다. 그때의 나는 그것을 눈치채지 못했고 그에게 남아 있는 설레는 감정 하나만을 믿고 그를 위해 살기로 했다. (어째서인지 그에게 증오하는 감정은 단 하나도 남아 있지 않았다.)

5번째 삶에서 만난 그는 다른 사람이라 믿으면서 그를 위한 삶을 사는 것은 생각보다 쉬웠고, 천사의 사랑을 받기라도 하는 것처럼 따뜻했다. 그렇게 몇 년이 지난 후 나는 그와 다시 사귀게 되었다. 그러나 그 끝도 좋진 않았다.

나의 초반 삶은 누구보다 치열하게 노력했고 또 누구보다도 절망스러웠다. 그렇다고 그 후의 삶들을 모조리 포기해 버렸던 것은 아니다. 딱 12번째까지는 더 나은 미래를 만들기 위해 발버둥 쳤다.

'뭐, 그 후에는 대충대충 맞춰가며 살았지만.'

어쨌든 나는 지금은 21번째 삶을 살고 있다. 성격도 가치관도 그리고 그에 대한 생각도 모든 게 변했다. 지금이야 그렇지만 초중반 시절, 그는 오랫동안 나의 기억 속에서 나를 망가뜨렸다. 하지만 그것도 한때일 뿐 지금은 더이상 그에 대한 기억은 나를 망가트리지 못한다. 그러니 다 괜찮다. 5번째 이후로는 보지도 못했으니까 만약 다시 만난다해도 그저 오랜만에 만난 조카를 보는 기분이겠지.

아니, 사실 괜찮지 않다. 지금도, 그를 보면 마음이 떨리나 보다.

그를 만난 것은 단순한 우연이었다. 나는 단지 내 새로운 얼굴에 대한 감상을 마치고 밖으로 나선 것뿐이었고, 잠깐 집 앞에 있는 편의점에 가고자 한 것뿐이었다.

무려 15번의 삶이 지나갈 동안 단 한 번도 보지 못했던 그는 눈부시도록 밝은 미소를 하고 횡단보도 건너편에 서 있었다. 그런데 나는 마치 그를 그리워하기라도 한 듯 그에게로 달려갔다. 나도 왜 그랬는지는 모른다. 단지 그에게 달려가 안기고 싶다는 생각밖에 나지 않았다. 그 순간 4번째 삶에서 그가 나에게 한 말이 떠올랐다.

사실 그와의 첫 만남은 대학교에서가 아니었다. 고등학생 시절, 나는 괴롭힘을 받았다. 지금 생각해도 치가 떨릴 정도의. 그때의 나는 정신은 이미 놓아버린 지 오래였고 더이상 살고 싶다는 생각도 없었기에 죽을 명분은 충분했고 열어진 교통사고의 충격은 나를 자만하게 했다.

초록색 불이 위태롭게 반짝거리는 밤 나는 횡단보도에 발을 내디뎠다.

추적추적 내리는 빗소리를 뚫고 클랙슨 소리는 나를 대신해 화라도 내는 것처럼 내게 달려왔다.

'다음 생에는 괜찮을 거야, 그럴 거야.'

나는 눈을 감고 몸에 힘을 풀 찰나였다. 그런데 모든 것을 포기한 나에게서 이상한 감정이 불쑥 떠올랐다.

'무서워.'

나는 그 감정이 들자마자 필사적으로 도로에서 벗어나려 했지만, 그땐 이미 너무 늦었었다,

'이제 진짜 죽는다.'

나는 눈을 질끈 감았으나 첫 번째와 같은 고통은 느껴지지 않았다. 마치 부딪치지 않기라도 한 것처럼 말이다. 아니나 다를까, 나는 어떤 남자의 품에 안겨있었다. 주위 사람들이 웅성거리는 소리가 메아리처럼 귓가에 맴돌았고 단 한 목소리만이 또렷이 들렸다.

"뭐 하는 거야, 지금! 죽으려고 작정했어?"

처음 보는 남자가 내 어깨를 흔들며 화난 말투로 말했다.

그는 물에 젖은 머리를 탈탈 털고는 일어나려 했으나 발목을 다치기라도 했는지 잠깐 멈칫하고는 다시 내 옆에 앉았다.

그 후로도 그는 나에게 무어라 말했지만 잘 들리지 않았다. 그저 살아있음을 실감하며 손가락 마디 하나하나를 덜덜 떨리는 손으로 꾹꾹 눌렀다. 읍읍 소리를 내며 참았던 울음이 알 수 없는 감정에 휩싸여 솟구친다. 클랙슨 소리로 가득 찼던 거리는 이제 한 소녀의 울음소리로 가득 메워졌다. 그 후 그와 나는 각자 응급차를 타고 병원으로 이송되었고 난 다시 그를 볼 수 없었다.

그렇게 몇 년이 지나고 대학생이 된 후에 우연히 그를 다시 만난 것이다.

다시 지금. 그렇게 난 도로에 뛰어들었고 몇 초 지나자, 클랙슨 소리와 함께 굉음이 울려 퍼졌다. 이제는 익숙해진 줄로만 알고 있던 고통이 다시 몰려온다. 그런데 이 죽음은 무언가 익숙하다.

'같은 죽음을 겪어본 것 같은데….'

하지만 그런 감상은 지금 내게 중요하지 않았다. 지금 나에게 중요한 건 딱 하나. 나는 고개를 들고 그의 모습을 보았다. 그리고 그는 내가 웃긴다는 듯이 한쪽 입꼬리를 올리고 있었다.

지질했다. 짜증 났다. 그의 그런 모습조차 아름답게 느껴졌기에.

조금 솔직해지자면 나는 그 찬란하기만 한 웃음이 얼마나 달콤한 유혹인지, 그 입꼬리가 무엇을 뜻하는지 모두 알고 있었다. 그리고 나는 그 덫에 또 걸려버린 것이다. 하지만 모든 것은 단 하나의 생각에 모두 잠식되었다.

'아, 이젠 진짜 죽겠구나.'

본능적으로 느껴진다. 더이상 이 삶이 반복하지 않겠다는 이 느낌이 너무도 잘 느껴진다.

나는 그의 앞에서 한 번 더 울음을 터뜨렸다. 하지만 그를 처음 만난 그날과는 조금 다르게, 조금 더 애절하고도 뜨거운 눈물이 흘렀다. 죽음에 잠식되는 느낌이 이런 느낌일까.

더이상 그를 원망할 힘도, 상처받을 힘조차 남지 않았다. 마지막까지 너는 나를 고통스럽게만 하는구나. 그 순간 이상한 질문이 떠올랐다.

'저번 생의 나는 어떻게 생겼었지…?'

죽기 전 왜 떠올랐는지도 모르는 질문이었다.

하지만 나는 무려 21번째의 삶을 살아가면서 전생의 '얼굴'에 대해서는 생각해 본 적이 없었다. 그 흔한 생각을 말이다. 잘 생각해 보니 다른 생의 모든 것들이 기억나지만 얼굴, 그 하나만큼은 기억이 나지 않았다. 마치 소장된 영화 속에서 한 장면만 잘려나간 것처럼 어색했다. 분명 나의 기억은 온전한데, 대체 왜 기억이 나지 않는 것인가.

그래, 생각해 보면 그것도 이상했다. 왜 나는 느끼지 못했을까.

나의 기억들에는 공통점이 하나 있었다. 그것은 바로 내가 살아가는 곳이, 그곳의 풍경이 몇백 년이 지나도 변화하지 않았다는 것이었다. 다른 곳으로 이사를 가도, 다른 학교로 전학을 가도, RPG 게임의 세이브 포인트처럼 벗어나려 발버둥 쳐 봐도 다음 생이 되면 항상 제자리였다. 그때 난 몇백 년을 고민한 질문에 대답할 수 있게 되었다. 하늘이 내린 '순회'의 그릇, 천수선기에 대해서.

온몸을 휘감던 고통이 사라지고 눈을 뜨자 보인 풍경은 '무의식의 혼돈'이었다.

내가 어떻게 이곳을 이렇게 잘 알고 있는지에 대한 답은 내릴 수 없다. 단지 내가 아는 사실은 이 무의식의 혼돈에는 오직 신격 혹은 신격에 준하는 자만이 들어올 수 있는 곳이라는 것이다.

그리고 나는 분명 내가 이곳에 온 적이 있다고 느꼈다. 내가 이곳에 온 적이 없다면 이렇게 화나고 슬픈 감정이 들 수 없었기에.

멀리서 사람의 실루엣이, 정확히는 사람의 모습을 한 무언가가 보였고 나는 그것에게 다가갔다. 천천히 그리고 아주 조심스럽게.

그것에 다가갈수록 나의 가슴이 아려 왔다. 그 감정이 들었을 때 나는 더이상 다가가선 안 됐다.

쿵쿵

가슴이 빠르게 뛰기 시작했다. 그였다. 내 앞에 나타난 것은 그임이 틀림없었다.

나의 4번째 삶을 망쳐버린 그는, 때로는 나의 구원자가 되었던 그는, 결국 나를 죽게 만들어 버린 그는 시간이 지난 지금도 날 미쳐버리게 했다.

그런데 의문이 하나 생겼다. 이 무의식의 혼돈은 '신격 혹은 신격에 준하는 자'만이 들어올 수 있기에. 그때 그가 나지막이 말했다.

"오랜만이네."

그는 마치 진심으로 반기기라도 하는 얼굴로 천천히 내게로 다가와 지그시 내려다봤다. 항상 설레었던 이 모습은 이젠 괴롭게만 느껴졌다. 하지만 난 더이상 그를 외면하지 않기로 했기에 굳은살이 박인 손바닥에 손톱이 파고들어 피가 흐르도록 손을 꽉 쥔 채로 그저 그를 응시했다.

사실 두렵다. 가설일 뿐이지만 그가 내가 생각하는 '그것'이라면 그는 지금 손짓 한 번으로도 날 죽일 수 있을 것이다. 단지 육신을 조각내는 것이 아니라 나의 영혼까지 모조리 다.

그는 뚝뚝 떨어지는 피를 잠시 응시하고는 이내 입을 가리고 웃기 시작했다. 작게 시작한 웃음소리는 어느새 끝이 있는지도 모르겠는 그 공간을 가득 메웠고 한참을 웃던 그는 웃음을 멈추고 말했다.

"아쉽네, 네가 뛰어들지 않았으면 계속 재밌었을 텐데. 그런데 위쪽에서 널 그만 처리하라고 해서 말이야."

그는 거짓이라곤 보이지도 않는 말을 끝으로 나에게 살짝 손짓했다. 그리고 그는 내가 예상한 그것이 맞았다. 그 손짓 한 번으로 사지가 잘려나가고 끈질기던 기억마저 사라지고 있었으니까.

그가 그것이 아니면 무엇이란 말인가. 그런데 찰나의 순간 보게 된 그의 표정은 나를 죽여서 기뻐 보이기도, 무언가 슬퍼 보이기도 했다.

그리고 나는 그가 보인 마지막 표정만을 보고 해선 안 되는 짓을 해버렸다. 뻗었다 할 수도 없는 거리였지만 마지막으로 그에게 손을 뻗은 것이다. 그 손을 잡아주기를 바라며, 4번째 삶의 그처럼 또다시 나를 구원해 주길 바라며. 그동안 겪었던 그와의 '기억들'을 믿으며. 하지만 그때 더 큰 고통이 내 온몸에 휘감았고, 나는 손을 툭 떨어뜨릴 수밖에 없었다.

그렇게 모든 걸 포기할 찰나, 그가 나의 손을 잡았다. 심장이 아리고 온몸에 전율이 돈는다. 사실 그 또한 나를 그리워하고 있던 것이다.

'그도 나처럼….'

그러나 힘겹게 든 고개는 이내 다시 떨어질 수밖에 없었다. 그의 표정은 생에서 단 한 번도 본 적 없는 섬뜩한 표정이었고 그는 재밌다는 듯이 크게 웃음을 터뜨렸다. 한참을 웃고 나서 나의 턱을 집어 자기를 보게 만들곤 말을 던졌다.

"지금 내가 널 진심으로 사랑하기라도 했다고 착각하는 것 같은데, 넌 우리에게 그저 유희 거리일 뿐이야. 그러니 널 진심으로 사랑한 적 따윈 없다고. 나도 고작 한 번 살려줬다고 이렇게 좋아할 줄 알았겠어? 그런데 이번 이야기는 내 담당이라서 말이야. 그렇게 쉽게 포기해버리면 좀 귀찮아지거든. 이야기에 간섭 조금 했다고 여기서 300년 동안 갇혀있을 걸 알았으면 나도 안 그랬을 텐데. 너 때문에 이게 뭐 하는 짓이람. 결국, 이야기 기간은 채우지도 못하고. 근데 아까 그건 정말 다시 생각해도…."

그는 중간중간 웃어가며 전 상황을 되새겼고 이내 크게 폭소했다. 하지만 이미 그에게 몇 번의 배신을 당한 이상 그가 그렇게 비웃는 것은 전과 같은 큰 타격은 주지 않았다.

내가 정말로 충격적인 것은 다름 아닌 바로 그것이었다. 그들에게 우리의 삶은 그저 '이야기'라는 것. 내가 몇 번의 삶을 산 것도 그리고 그것이 모두 똑같은 삶을 '반복'한 것도 모두 그들이 원하는 재미있는 이야기를 원해서였다는 것. 가끔은 치열하게 또 찌질하게 했던 그 모든 감정이, 그 모든 일들이, 단지 '유희거리'였다는 것.

많은 삶을 반복하면서 나는 항상 새로운 '미래'를 만들기 위해 노력했다. 몇 번이 지나고, 마음이 무뎌지고, 나를 잃어가는 와중에도 나는 미래를 포기하지 않았다. 꼭 이번엔 행복해지겠다고, 아니 행복하지 않아도 괜찮으니 평범한 삶을 살아보고 싶다고, 그렇게 다짐하며 하루하루 살아갔다.

그런데 그런 게 다 무슨 소용이었을까. 나에게 애초에 '미래'란 존재하지 않았다. 그저 나는 그들의 상상 속에서 잘 짜인 이야기를 연출하는 '인형' 그 이상도 그 이하도 아니었던 것이다.

'대체 무엇을 위해서 이토록 달려온 것인가. 나의 삶은, 나의 이 모든 기억은 고작 손짓 한 번에 금방 산산조각 나버리는 그런 것이었던 건가. 그 기억들이 단지 이야깃거리일 뿐이라면 그 수많은 기억이 정말 '나'의 것은 맞나.'

얼마나 지났을까, 머릿속을 헤집던 생각들도 의식과 함께 흐려지기 시작했다.

그리고 나는 마지막으로 새로운 가설 하나를 세웠다. 기억이라 믿은 그 모든 것들은 누군가의 손짓 한 번에 바뀔 수 있는 '단편소설'일지도 모르겠다고.

망애

유노이아 [홍희연]

'사랑'은 미칠 듯이 괴롭고, 고통스럽다.

하지만, 그 고통을 참고 얻어낸 진한 달콤함은 분명, 또 '사랑'을 할 수밖에 없는 이유일 것이다.

***

차가운 바람이 살갗에 닿았다가 떠나버리고, 나뭇잎들은 바람을 이기지 못하고 과거를 간직한 채로 힘없이 바닥에 내려앉는다. 그렇게 쌓인 나뭇잎들이 하나씩 모여 이제는 셀 수도 없을 정도로 바닥을 꾸며주고 있었다. 오후 5시, 그땐 해가 조금씩 사라져서 세상엔 약간의 어두움이 드리운 시간이었다. 노을로 붉은빛이 깔린 세상은, 참 아름다웠던 것 같다. 해가 짧은 걸 보니 겨울이 왔다는 게 실감이 나는 듯했다. 분명 차가운 바람이 점퍼를 뚫고 들어올 때까지만 해도 가을이 좀 춥네, 라는 생각만 들었던 것 같았는데 말이다.

"오늘은 좀 쌀쌀하네."

"그래? 그럼 붕어빵도 곧 있으면 팔려나."
"오, 그렇겠네. 맛있겠다."

우리는 실없는 대화를 하며 길을 걷고 있었다. 쌀쌀한 칼바람으로 인해 차가워진 손을 민우가 잡아주었다. 그 순간, 원래부터 추위로 붉었던 뺨이 더 붉어지는 듯했다. 크고 따뜻한 손에서 체온이 천천히 내 쪽으로 옮겨와, 나의 손과 민우의 손은 같은 온도를 공유하였다. 크고 보드라운 손은 잡는 것만으로도 안정감이 느껴졌다.

민우는 내 남자친구이다. 몇 년 전, 모의고사를 보던 고등학생 때부터 지금까지 오랫동안 사귀었다는 흔한 연애 이야기다. 그 오랜 시간동안 우리는 여전히 서로를 제일 사랑하고, 서로만을 바라보고 있다.

서로의 손을 잡고 길을 걷는 것만으로도, 안정감과 행복감이 서서히 올라온다. 그러나 곧 해가 져서, 거리엔 어둠이 짙게 드리울 것이다. 우리는 산책로의 끝에 멈춰서, 서로를 바라보았다.

시계는 아직 가기 이르다 외치고 있지만, 우리는 눈빛만 봐도 알 수 있다. '어차피 우리는 다음에도 만날 건데, 오늘은 이쯤 할까?'라는 생각이 민우의 밤빛 눈동자에서 느껴지는 듯했다. 내 생각도 민우와 별반 다르지 않으니, 그 눈빛에 고개를 살짝 끄덕였다.

"이만 집에 갈까?"
"그래. 날 추우니까 굳이 안 데려다줘도 돼."
"알았어. 집 들어가고 연락해."

그렇게 말한 뒤, 평범한 데이트는 끝이 나고, 민우는 돌아서 걸어갔다. 민우가 걸어가는 몇 분 동안 점점 사라져가는 실루엣을 가만히 바라보았다. 이윽고 실루엣이 온전히 사라지자, 나는 그제야 집으로 걸어가기 시작했다.

우리는 분명 서로를 신뢰하고 믿고 있다. 분명 내일도, 모레도, 글피도, 내년도 언제나 이렇게 서로만을 가장 사랑하고, 오늘과 다르지 않은 일상을 보낼 것이라고, 우리는 그렇게 서로를 신뢰하고 있다.

**

참 안일했다. 세상 모든 인연이 늘 똑같은 일상을 반복하다가, 자연적으로 끝을 맺지 않는다는 걸 알면서도, 사람과의 약속이 얼마나 쉽게 잘 깨지는지 알면서도,

그 신뢰는 어떤 형태로든 지켜지지 못할 약속이라고 생각하지 못했다.

아니, 생각하지 않았다.

늘 그랬듯, 비극의 시작은 약간의 씁쓸한 사실 하나로부터 시작된다. 그리고 그 비극은, 전혀 예상하지도 못했던 작은 균열에서부터 시작한다.

우리의 경우는 그랬다. 연인이 가장 많이 헤어진다는 사유인 싸움도, 사고도, 범죄도 아닌 정말 황당한 사건 단 하나뿐이었다.

"…누구세요?"

"뭐? 그게 무슨 소리야, 민우야?"

그렇게 싱겁게 데이트를 끝마친 다음, 며칠이 지나고 나는 민우의 집에 잠깐 들렀었다. 딱히 초대되지도 않았음에도, 억지로 이 멀리 있는 집에 온 까닭은 생각보다 단순했다. 그 데이트가 끝나고, 쭉 민우의 연락이 없었다. 이 정도로 연락을 안 하던 애는 아니었다. 적어도 하루에

한 번은 꼭 전화를 걸어서 밥은 먹었냐고 안부 인사를 해주던 사람이 민우였다. 이런 이상 현상을 참을 수 없었다. 당장이라도 그 근원을 알아내고 싶었다.

그렇게 난, 민우의 집 앞에서 이런 말을 듣게 된 것이다.

"아니 누구신데 함부로 남의 집에 찾아오시나요?"

"장난치지 마! 민우야, 나 이런 장난 별로 안 좋아하는 거 잘 알잖아…."

"진짜 누군지도 모르겠는데, 더 볼일 없으면 그만 가주세요."

처음에는 얘가 또 이상한 장난을 치나보다 싶었다. 두 번째까지만 해도 분명 장난인 줄 알았다. 세 번째부터는 혼란스러웠다. 숨이 제대로 쉬어지긴 한 걸까. 내가 어순이 맞는 말을 내뱉고는 있을까. 온갖 불안한 생각이 내 머릿속을 짓누르고 있었다.

뒤로는 더 생각나지도 않았다. 그냥, 그날따라 하늘이 푸르렀다는 것만 희미하게 기억날 뿐이다. 그때의 기분, 생각과는 정반대로, 아주 푸르고 화창한 날씨였다.

정신을 차리고 보니, 나는 병원에 와 있었다. 그것도 민우와 같이 말이다. 대체 어떻게 날 하나도 기억하지 못하는 민우를 병원까지 끌고 온 건지는 생각이 나지 않았다. 그냥, 현실을 부정하고 싶었던 것 같다. 아침마다 늘 의미 없이 켜져 있던 텔레비전에서 나왔던 드라마 속 기억 상실처럼, 뭔가 내가 없던 사이에 사고라도 당한 게 아닐까 싶었을 뿐이다. 그게 아니면 도저히 설명할 수 없는 상황이었으니 말이다.

하지만, 의사의 말은 황당했다.

"망애 증후군(忘愛症候群)입니다."

"네? 그게 뭔데요?"

"음, 그러니까 쉽게 말하자면 가장 사랑하는 사람을 잊어버리게 됩니다. 부분 기억 상실이라고 해야 할까요."
"무슨, 그게 말이 되나요? 기억이 되돌아오는 방법은요?"
"…일단 보호자 분, 진정하시고요."

나는 의자에 앉아 의사의 말을 가만히 들었다. 하지만 흥분은 가라앉질 않았다.

단 한 순간이었다. 분명 며칠 전만 해도 나한테 환하게 웃어주던 사람이었다. 차가워진 내 손을 잡아주고, 늘 나를 위해주던 사람이었다. 그 뒤로 무슨 일이 있었다는 이야기는 못 들었다. 그 짧은 며칠 만에 일상이 부서졌는데 어떻게 흥분이 가라앉겠는가.

의사의 말은 잘 기억이 나질 않았다. 머리도, 귀도 둘 다 멍해져서 소리도 제대로 들리지 않았다. 어차피 별로 도움이 되는 말은 아니었다. 이 사람은 포기하고, 다른 사람과 새롭게 연애하라는 정신 나간 소리였을 뿐이다.

진료실에서 나오니, 밖엔 민우가 있었다. 분명 예전의 민우는 날 가장 먼저 바라봐주던 아이였다. 하지만 이제 민우는 날 신경 쓰지 않았다. 스마트폰 액정만을 보며, 내가 나오든 말든, 내가 알지 못하는 사람들과 문자를 나누었다. 분명 그 망애 증후군이라는 병 때문일 텐데, 이상하게 날 바라봐주지 않는 민우를 보며 이따금 심장이 저릿해지는 기분이 들었다.

민우를 빤히 쳐다보자, 인기척에 민우가 고개를 들고 나를 보았다. 그 눈빛엔 어떤 애정도 담겨있지 않았다. 그저, 경멸이었다. 그럴 수밖에 없었다. 민우한테 나는 대낮부터 자신을 병원으로 이끌고 온 생판 남이었으니까. 하지만 그 표정에 그만 눈시울이 빨개져선 뜨거운 온기를 품은 눈물이 흘러나왔다. 계속해서 눈물이 흐를수록 온기는 빠져나가고, 그렇게 내 마음도 공허해지는 기분이 들었다.

그래서 그날은 유독 차가운 겨울이었다.

너무 차가워서, 내 세상이 얼어붙을 정도로 차가운 겨울이었다.

***

시간이 조금 흐르고, 이제 길바닥을 굴러다니던 나뭇잎은 완전히 사라졌다. 누군가가 인위적으로 치웠든, 아니면 자연적으로 사라졌든, 세상은 겨울을 맞이할 준비를 하고 있었다.

앙상한 가지만 남은 나무는 꼭 나를 닮았다고 생각했다. 나뭇잎이 있을 땐, 예쁘고 아름다웠던 나무는, 겨울이 되면 온기도, 나뭇잎도 다 뺏긴 채 초라한 자신을 보여주었다. 겨울이 온 나는, 사랑도, 민우도 뺏겨버린 채 초라한 자신만을 보여줄 수밖에 없었다.

나는 시간이 흐른 뒤로도 몇 번이고 민우의 집에 찾아갔다. 계속 만나다 보면, 언젠간 기억이 나지 않을까 하는 작은 희망에 찬 채로 말이다. 민우는 처음 몇 번은 단호하게 거절하였다. 생판 남을 집에 어떻게 들이겠냐는 당연한 이유였다. 처음은 그냥 돌아갔다. '언젠간 받아주겠지'하는 마음이었다. 네 번째쯤 거절당했을 때, 나는 그냥 가지 않고 급하게 말을 꺼냈다. 이러다간 정말 남이 되어버릴 것 같다는 두려움 때문이었다.

"너, 연락처에 나 저장되어 있잖아! 근데 어떻게 내가 남이겠어."

"무슨 소리인가요. 당신이 대체 어디에 저장되어 있다는 건데요?"

"잠깐 핸드폰 좀 줘 봐."

민우는 떨떠름하게 핸드폰을 내게 주었다. 그렇게 날 경계하더니, 자신도 뭔가 걸리는 게 있었는지 핸드폰은 쉽게 건네주었다. 민우의 핸드폰에는 여러 연락처가 있었고, 그중에는 눈에 띄는 이름이 하나 있었다. '자기'라는 애칭에 뒤에 하트 이모티콘이 붙은, 저장된 이름에서도 애정이 느껴지는 연락처였다.
나는 재빨리 그 연락처를 민우에게 보여주었다.

"너 이 사람이 누군지 알아?"
"…뭐야 이건, 내가 여자친구가 있었나."

당황해하는 민우의 혼잣말에 나는 씁쓸하게 웃었다.
순간적으로 훅 들어온 현실은 하려던 일도 순간적으로 잊어버릴 정도로 잔인했다. 나는 눈물이 터지려던 걸 입술을 꽉 깨물어서 간신히 참고는, 민우의 눈앞에서 그 연락처로 전화를 걸었다.

"뭐, 뭐 하는 짓이에요?"
"자! 봐봐. 이제 전화벨이 어디서 울리나."

내가 그 말을 입 밖으로 내뱉자마자, 주머니에 있던 핸드폰에서 청아한 오르골 소리가 울려 퍼졌다. 전화벨 소리였다.
민우는 그 광경을 보고 잠시 말이 없었다. 단지 약간 인상을 찌푸리며 나를 바라보았을 뿐이다. 어떤 생각을 했는지는 몰라도, 별로 그다지 기분이 좋아 보이진 않았던 것 같았다. 민우는 '잠시 생각 좀 해볼게요. 다음에 다시 오세요.'라는 애매한 답변만 남기고 다시 문을 닫았다. 굳게 닫힌 철제문은 우리의 거리감을 표현하는 것 같았다.

"그래도 이번엔, 뭔가 달라졌을까."

나는 혼잣말을 짧게 내뱉고는, 집으로 돌아갔다.
돌아가는 길에 보니, 추위에 손끝이 빨개져 있었다. 민우를 설득하느라 시간 가는 줄도 모르고 밖에 있었던 탓이었다. 나는 손을 잠시 바라보다가 픽 웃었다. 민우가 기억을 잃은 그 이후로, 그 평범했던 데이트가 생각났다. 내가 그때, 조금만 더 같이 있자고 했으면 무언가 달라졌을까. 적어도 이렇게 손잡아줄 사람 하나 없이, 모든 온기를 빼앗긴 채로 있진 않았을 것 같다.

"오늘도 날이 춥네, 민우야."

***

시간이 또 하염없이 흘렀다. 내가 따라가기 벅찰 만큼, 아직도 내 시간은 마지막 데이트에서 멈춰있는데, 세상은 벌써 흰 눈이 덮어버렸다. 길가에 소복이 쌓인 새하얀 눈, 그 위에는 어린이들 특유의 발자국이 찍혀있었다. 나는 눈을 조금씩 모아, 작은 눈사람 두 개를 만들었다. 괜스레 생각난 옛날 일 때문이었다.

고등학교 3학년, 수능이 끝나고 오랜만에 만난 우리는, 너무 신난 나머지 눈이 소복이 쌓인 운동장에서 푸른 하늘이 노을로 붉게 물드는 것도 모르는 채로 천진난만하게 놀았다. 그때 민우는 큰 눈사람을 2개 만들어서 붙여놓고는 우리를 표현했다고 했었다.

이제는 의미 없는 추억일 뿐이다.

민우를 설득하고 약 한 달이 지났다.

그 사이 민우는 집에 들어오는 것을 허락했고, 나는 최대한 민우의 기억을 되돌리기 위해 노력했다. 앨범을 꺼내서 보여주기도 하고, 우리가 나눴던 메시지를 보여주고, 우리가 어떻게 연애를 했는지에 관한 이야기를 다 꺼내 보았다. 달라지는 건 없었다. 민우의 기억은 그대로였다.

"근데, 그럼 내가 너랑 그렇게 오래 사귀었다고?"
"응, 갑자기 그건 왜 물어봐?"
"아니 그냥, 궁금해서."

기억을 되돌리기 위해 노력할 때마다, 나는 계속 지난날의 추억에 가슴이 저렸다. 심장을 옥죄어오는 고통과 앞이 보이지 않는 미래에 대한 두려움은 작은 희망의 불씨조차 짓밟았다. 이런 상황에서도, 내가 아직 포기하지 않은 이유는 간단했다. 기억을 찾지 못해도, 이렇게 나에 대한 사랑은 찾을 수 있지 않을까 하는 생각이었다.
그러던 어느 날이었다.

"근데, 나는 왜 널 좋아하게 됐어?"
"음 글쎄, 정확히 설명은 안 해줬는데, 첫눈에 반했다고 했었어."
"…진짜야?"

그날도 여느 때와 같이 기억을 되돌리기 위해 과거 이야기를 해주고 있었다. 다만 다른 점은, 눈이 오는 날 밖에서 이야기했다는 것 정도였다. 민우는 나한테 평소처럼 질문을 던졌고, 나는 평소처럼 답을 해주었다.
하지만 대답을 들은 민우의 표정은 전혀 평소 같지 않았다. 딱딱하게 굳은 얼굴, 한쪽 입꼬리만 올려서 전혀 유쾌하지 않은 미소를 지어 보이고는 민우는 말했다.

"이상하네. 기억을 잃기 전의 나는 약간 이상했나 봐."
"…그게 무슨 소리야?"
"지금 나는, 널 좋아한다는 마음이 전혀 생기질 않아."

"……."
"머릿속에서 널 싫어하라고 외치는 기분이라고 해야 할까."

그 순간, 머리를 한 대 세게 맞은 기분이었다. 기억을 잃은 민우는, 예전으로 돌아갈 수 없었다. 나에 대한 기억도 되돌릴 수 없었고, 나에 대한 애정도 돌릴 수 없었다.

'원래 망애 증후군이라는 건 이런 거야?'

그러고 보니, 지금은 잘 기억나지 않는 의사의 말에 그런 말이 섞여 있었던 것 같다.

"어차피 돌릴 수 없어요."

그게, 모든 걸 의미했던 걸까.

민우는 날이 차긴 하지만 괜찮다며 일어나서 주변을 걸었다. 그러다 민우를 만나기 전 만들었던 작은 눈사람이 민우의 발에 의해 밟혀서, 형체를 알아볼 수 없게 되었다.
역시, 나만 기억하는 추억은 의미가 없었다.

희망은 늘 짓밟히고, 결국 세상에는 절망만이 남는다. 그래도 우리가 '사랑'을 하는 이유는, 그 절망 속 진한 달콤함을 좇기 위해서이다. 하지만 '달콤함'이 없는 사랑은, 결국 고통뿐이다. 나는 그렇게 살고 싶지 않았다. 앙상한 가지는 나뭇잎이 다시 자라지 않는다면, 계속해서 추해질 뿐이다.
기억을 잃은 사랑, 애정을 잃은 사랑, 이게 대체 어떻게 사랑일까. 나는 '절망밖에 없는 사랑'을 포기해야 한다. 민우를 잊어야 한다. 하지만, 나는 민우를 가장 사랑하고, 민우가 아닌 다른 사람을 사랑할 수 없다.

그럼 난 어떻게 해야 하지?
다른 사람을 사랑할 수도, 이 사랑을 계속 이어나갈 수도 없다.
그렇다고 이 사랑을 포기할 수도 없다.
내가 대신 망애 증후군에 걸릴 수도 없다.
그렇다면 답은 단 하나,

"나만 이 세상에 없으면 되는 거잖아."

**

아스팔트 도로 위에서 큰 굉음이 울려 퍼졌다.
비릿하고 끈적한 붉은 액체가 하얀 페인트를 덮어버렸다.

그날은 분명, 뼛속까지 드나들던 한기가 물러가고, 따뜻한 공기가 살갗을 스치는 봄날이었다. 길가의 눈은 녹아서 사라지고, 잎을 잃었던 나무가 따뜻한 온기에 잎을 조금씩 되찾기 시작했었던 그런 봄날이었다.

근처에서 난 큰 굉음에 잠에서 깬 민우는 무언가 공허함을 느꼈다. 머릿속에서 완벽하게 지워졌던 누군가의 실루엣이 점점 희미하게 보이기 시작했다. 그와 동시에 불길함과 두려움이 느껴지기 시작했다.

딱히 이성적으로 생각하진 않았다. 본능적으로 옷만 입고 밖으로 빠르게 뛰쳐나갔다. 그 굉음이, 어쩐지 자신과 관련이 있다고 생각해버렸기 때문이었다.

"아이고, 어쩌다 그랬대요?"
"그냥 자기가 직접 도로에 뛰어들었다더라."

많은 사람이 몰리고, 많은 말들이 뒤섞여서 멀리서 봐도 이목을 이끄는 곳, 그곳으로 가까이 다가갈수록, 민우의 머릿속에서 인물은 점점 더 선명해졌고, 이윽고 그 사고의 처참한 현장을 보았을 때,

"…하린아?"

마침내 민우는 나에 대한 모든 기억이 떠올랐다.
사랑은 늘 타이밍이 안 맞아서, 민우는 내 심장이 온전히 멈춘 후에야 기억이 떠올랐다. 민우가 고통받지 않았으면 하는 마음에 한 행동이었는데, 절망은 끝나질 않았다. 민우는 피범벅이 된 내 시신을 끌어안았다. 민우의 옷이 끈적한 피로 범벅되었다. 심장은 뛰지 않았고, 마음의 온기도, 신체의 온기도 다 식어버린 시신이었다. 이젠 손을 잡아도 손이 따뜻해지지 않고, 뺨도 붉어지지 않는다.

그 시신을 끌어안으며 민우는 잃어버린 감정들이 폭포수처럼 떠밀려왔다. 그렇게 민우는 내 시신을 끌어안으며 후회도, 절망도, 고통도 아닌
인생 처음으로 가장 큰 사랑을 느꼈다.

[망애 증후군: 무언가를 계기로 가장 사랑하는 이를 잊어버리는 병.
이 병의 특징은 사랑했던 상대를 거절해버리는 것.

몇 번이고 기억을 떠올린다 해도, 시간이 지나면 잊어버린다.

치료하는 방법은 단 하나,
사랑하는 이의 죽음뿐이다.]

후기

별림 [박한별]
저는 "비 오는 날의 낭만"을 집필한 별림입니다. 제 글은 묘사에도, 대사에도 비유가 묻어있다는 것이 특징인데요, 이런 비유가 독자분들께 잘 와닿았길 바랍니다. 저는 여러분의 청춘이 덜 아팠으면 좋겠습니다. 그래서 제 글이 여러분 대신 비를 맞을 수 있었으면 합니다.

만약 제 글을 다시 한번 읽으실 수 있다면 배경 음악으로 <스즈메의 문단속> ost 'すずめ(스즈메)'와 <너의 이름은> OST 'Nandemonaiya(아무것도 아니야)'를 추천합니다. 글의 초반부, 후반부 분위기를 아주 잘 나타내는 곡입니다. 노래를 들으면 몰입도가 달라질 겁니다. 그리고 그 분위기에 따라 제 글이 여러분께 다른 인상을 남길지도 모르는 거니까요.
글을 쓴다는 건 생각 보다 거창한 것이 아닙니다. 단지 자신의 생각을 글자로 시각화하는 것입니다. 여러분께 '글'이라는 존재가 조금 더 가볍고 가깝게 다가왔으면 좋겠습니다. 글이라는 것은 당장 메모장을 열어 끄적이는 것과 다르지 않으니까요.

沦 윤 [허지윤]
이 글을 쓰기 전까지 제게 글쓰기란 학교에서 쏟아져 나오는 수행평가나 혼자 끄적이며 쓴 3줄짜리 글밖에 없었기에, 첫 글자를 쓰는데 망설임이 많았습니다. 첫째 주는 쓰고 지우기를 반복하며 지냈고 막상 글을 쓰려고 해도 그 뒤의 내용이 떠오르지 않았죠. 그런데 어느 날 만족스러운 한 문장을 만들게 되었고, 그 뒤는 몇 번의 수정을 거쳐 속전속결로 끝나게 되었습니다.
그렇게 전 여주동아리 부원으로서 구원자를 집필하면서 '글을 쓰는 것'에 즐거움을 느낄 수 있었고, 또 일러스트부의 부장으로서는 함께 책을 만들어 가는 것'에 뿌듯하기도 했습니다.
숙제 리스트 빼고는 텅텅 비어있던 메모장이 이제는 머릿속에서 떠오르는 소재들로 가득해졌고, 더 예쁜 표지를 그리고자 한 노력은 제 실력을 더 증진시킬 수 있는 기회가 되었습니다.
어쩌면 인생에서 두 번째로 기억에 남을 중학교 3학년이라는 시간을 여주동아리의 부원으로서 지낼 수 있었음에 감사합니다

노스텔 [김주예]
스토리 얘기를 해보자면, 영이가 희의 조상입니다. 영이는 선교사를 따라 여러 나라를 다니고, 그중 한 곳에 정착합니다. 그곳에서 한국인 독립운동가와 눈이 맞아 결혼하게 되고요. 그러니까 희의 집안은 독립운동가 집안인 거죠. 희는 각별한 애국심 같은 건 없었지만, 영이를 만나 조금씩 영향을 받고, 결말 부분, 교과서에 나오는 영이의 독립운동 과정을 배우며 바뀌게 됩니다! 아, 희는 영이를 기억하냐고요? 희는 영이를 공사관에 데려다준 다음 날, 학교에서 기절하듯 잠에 들며 영이에 대한 기억을 잊게 돼요. 그 후로 공간 이동이 되지 않는 건 물론이고, 영이에 대해서도 어렴풋이 꿈처럼만 기억합니다. 아, 대신 영이는 희를 선명히 기억해요.

그리고
1년 동안 고생해준 집필부랑 출판부
늦은 마감 기다려주고 피드백해준 부장 별이
3년 동안 여주부 담당해주신 민정쌤
내가 헛소리해도 진지하게 들어준 내 친구들
항상 응원해준 엄마아빠
그리고 3년 동안 가르쳐주신 모든 선생님들
모두 사랑하고 감사합니다!

온설 [권지율]
제 글의 가장 큰 특징은 비유와 반복입니다. 제 소설은 여느 소설과 다르게 시처럼 세부적인 내용이 빠진 표현이 많이 담겨있음과 같은 내용의 반복으로 이루어져 있어 해석에 어려움이 있으시리라 생각합니다. 이러한 표현의 해석을 위해 제목에 '기억의 안', '검은빛의 기억' 두 가지의 이중적 의미를 담았습니다.

제 필명은 '온설'로 '따뜻한 눈'이라는 의미로 'Being your warm snow (당신의 따뜻한 눈이 되는 것)'이라는 목적을 담고 있습니다. 추운 겨울날, 제 글이 여러분의 삶에 따뜻한 눈이 되길 바랍니다.

백유월 [최고은]
안녕하세요. '2시 45분'을 쓴 최고은입니다. 제 글을 읽으신 독자분들은 어딘가 미숙하고, 어딘가 많이 부족한 느낌이 드셨을 거라 생각합니다. 이 글은 언젠간 저의 추억이자 흑역사로 남겠지만, 이 글이 있음으로써 제가 더욱 성장해 가는 것 같습니다. 이제 여주부는 마지막이 되어가지만, 저는 앞으로도 작가 백유월로써 계속 성장할 것입니다. 부족한 제 글을 읽어주신 모든 독자분들께 감사 인사드립니다. 더욱 발전한 모습으로 다시 만나 뵙도록 하겠습니다

유노이아 [홍희연]
사실 저는 대부분 해피엔딩으로 글을 씁니다. 오랜 역경 뒤에는 달콤한 보상이 내려오기 마련이니까요. 이번 '망애' 역시 그랬습니다.

물론 여러분은 이해하지 못하겠죠. 아니, 저들은 비극적 결말을 맞이한 것이 아닌가. 하고요. 마지막 지문을 보면, 제 말을 이해할 수 있습니다. 네, 여주인공 '하린'이 죽고 나서야 그들은 진실한 사랑을 합니다.
그러니까, 마지막은 결국 사랑이라는 해피엔딩이었다는 거죠.

사랑은 재미있는 감정입니다. 사람마다 받아들이는 사랑의 형태는 다르고, 그것은 때때로 다수에게 이해되지 않는 '비정상적 사랑'일 수 있지만, 그것이 잘못된 사랑은 아닙니다.

사랑했던 순간들은 사람마다 다릅니다. 그리고 우리는 그걸 모두 사랑이라고 부릅니다. 이번 글의 주인공 역시 똑같습니다. 서로 다른 형태의 사랑을 받아들여도, 우리의 뇌는 그 순간을 '아름다운 사랑'으로 기억하게 되죠.
세상이 사랑을 아름다운 것으로 생각하는 것처럼.

그러니 그들의 엔딩도 영원히 반짝이는 사랑의 순간으로 남을 겁니다.

"Enjoy your Youth. You'll never be younger than you are at this moment."

-Chad Sugg

이 책에는 카페24(주)이 제공한 "카페24 클래식타입"이 적용되어 있습니다.
이 책에는 카페24(주)이 제공한 "카페24 고운밤"이 적용되어 있습니다.
이 책에는 카페24(주)이 제공한 "카페24 심플해"이 적용되어 있습니다.
이 책에는 태백시청이 제공한 "태백은하수체"이 적용되어 있습니다.